KB122295

노을에 출렁이다

노을에 출렁이다

이대로/흘러도/좋아

이문자 수필집

노문사

여는 글

다시 흐르기로

마흔 넉 줄 반의 교단생애. 내 영혼 모두를 쏟아붓고 나니 나의 몫은 남아있지 않아도 좋을 만큼 홀가분했다. 깡그리 소진 돼 더 이상의 여력은 없을 줄만 알았는데 용케도 내게 답이 왔다. 새 물줄기로 다시 흐르는 일이었다.

생의 노을 녘. 놓쳤던 시간들을 불씨로 살려내 감성이란 심지에 불을 지핀 지 10여 년, 연둣빛 동심들에 꽃물을 들이느라 무던히도 글 숲을 쏘다녔던 내 이력 때문이었던지 심연은 쉽사리 달아올랐고, 윤슬로만 반짝이던 그리움들이 물살로 일렁이며 마침내 실개울로 첫 흐름을 시작한 것이다.

순간에 스러지는 석양임을 아는 터에 이왕이면 제대로 익어가고 싶다. 억지 부리지 않고 느슨히 흘러도, 제 빛깔로 타다보면 무얼 꿈꾸고 놓아버려야 할 지를 아는 나이. 비우고 내려놓는 일이 이리도 큰 기쁨인 줄을 몰랐다. 그러기에 앞만 보고 달리지 않았다. 함께 손잡고 가는 길이

느리기는 해도 더 많은 것을 품을 수 있었기에…

여여히 흐르다가도 더러는 뒤척이며 새 물길을 트는 일이 신명났다. 그렇게 굽이치다 흘러내리는 사이 사유가 깊어져 제 길을 찾을 수 있었던 것. 대충이 아니라 진정을 담아 그리했었다.

하찮은 삶이지만 내 방식으로 글밭에 훈수를 두면서 산다. 무정물에 지나지 않는 대상에 시선이 꽂히는가 하면 아귀다툼 세상사에서, 현자의 사유에서 끊임없이 모스부호가 내게로 온다. 각양각색의 메시지를 짚어내고 나를 다스려 쓰디쓴 고뇌도 달게 버무릴 수 있는 건 글쓰기만의 신통력이 아닐까 싶다. 이 멋에 이름 따위는 눈부시지 않아도 좋다.

다른 이들이라면 몇 순배의 출간은 거뜬했을 세월에 고작 쉰 이랑의 글밭을 일궈 독자들에게 내놓는다. 하지만, 한편 한편에 진지하지 않았던 적이 없었고 분신처럼 애틋하기에 부끄러워하지 않으련다. 허접하기만 했던 내 영혼이 조금은 더 여물었다고 말할 수 있어서다.

이 무렵의 물살이 하염없이 출렁거리는 것도 노을에 익어가는 감사함이 아닐는지. 오늘 하루 맘껏 흔들리고 싶다. 노을로 출렁이고 싶다.

내게서 풀려나오는 글들이 고인 웅덩이가 아니라 때마다 새 물꼬를 트고 흘러내리는 물길이기를 소망한다.

2021년 가을날, 이문자

추천의 말

체험의 서정적 승화와 정감적 표현

홍 성 암(문학박사, 전 동덕여대 교수)

이문자 수필집 『노을에 출렁이다』는 저자가 수필가로 등단한 이후 첫 번째로 출간하는 수필집으로 50편의 작품이 실려 있다. 십대에 문학공부를 시작하여 오랜 습작기를 거치면서 심혈을 기울여온 주옥같은 글들은 저자 자신의 분신이며 품격이다. "글이 곧 그 사람이다."라는 수필의 본령을 가장 잘 드러내고 있는 이들 작품에는 소재적인 측면에서 대체로 3가지의 큰 범주를 지닌다.

첫째는 대가족의 집안에서 부모형제가 화목하고 이웃들에게 넉넉하게 베푸는 삶의 모습을 살필 수 있다. 〈그리움에 익다〉에서 애호박에 얽힌 어머니에 대한 추억, 알밤 줍기에 얽힌 할머니에 대한 기억 등과 〈할아버지의 방〉에서 집안과 마을의 어른으로 처신하신 조부의 넉넉한 품성 등이 모범적인 집안의 풍모를 잘 드러낸다.

또 하나의 범주는 첫 부임지에서 드러나는바 교육자로서의 생애다. 십대의 나이에 모교였던 초등학교 교사로 시작하여 60대에 교장으로 정년하기까지 '페스탈로치'라는 별명을 들을 정도로 열정적으로 교육에 임해 온 교육자적 삶의 모습을 알 수 있다.

이런 윤리적 토대에서 보다 감성적이고 훈훈한 인성을 느끼게 하는 부분은 문학인으로서의 수련과정을 통한 서정의 승화다. 〈봄날이 간다.〉와 같은 작품에서 동료 시인과의 정담을 통해서 드러나는 서정적 심성은 참으로 아름답다. 금상첨화로 〈귀동냥 중〉에서처럼 스님과의 선문답을 통해서 구도자의 겸손함이 빛나고 있다.

이들 수필을 대하면 수필가 자신이 강릉이라는 토양 속에서 아름답게 우뚝 자란 거대한 나무라는 생각을 갖게 한다. 뼈대 있는 가문과 가족사가 그 나무의 뿌리라면 교육자로서의 생애가 우람하고 튼튼한 나무둥치에 해당되고 시적 서정과 고운 심성이 푸르고 싱싱하게 나부끼는 잎새가 된다. 거기에 작가의 겸허한 삶과 성찰의 자세가 햇살이 되어 후광처럼 반짝인다. 그래서 그 나무 밑 그늘에서 마을의 남녀노소들이 모여 앉아 담소하고 즐기게 되고 하늘을 날던 새들도 둥지를 틀고 휴식하게 된다.

이 수필에서 특히 돋보이는 것은 저자의 언어 구사능력이다. 한 단어 한 구절에 이르기까지 세심한 조탁의 과정을 거치면서 문장 속에 사색이 용해되어 있음을 느끼게 된다. 어떤 면에서 시와 산문의 융합이라는 말이 어울릴 정도로 상징적이고 함축적인 언어를 구사하며 때로는 깊이 명상의 시간을 갖도록 속도를 멈추기도 하는 세심함을 발견하게 된다.

특히 시인과의 교감을 드러내는 글에서는 언어자체가 '한 마리의 나비처럼, 한 줄로 꿰어지는 말의 구슬처럼' 느껴지기도 한다. 함축적인 언어, 시적 이미지를 산문 문장으로 녹여내는 재능이 번뜩이고 그런 정감적인 표현들이 강한 호소력으로 다가온다.

흔히 수필이 예술이 되기 위해서는 '내용에 있어서 인생의 성찰에 기여해야 하고, 서술에 있어서 일정한 형식미를 갖추어야 하며, 거기에다 적절한 비유, 신선한 이미지, 그리고 철학적 사색이 곁들여져야 한다.'고 말한다. 이런 요건을 이 수필들은 잘 갖추고 있다. 글 속에 저자 자신의 모습이 가장 잘 드러나고 있기 때문이다.

저자는 뒤늦게 문학의 길에 몰두하여 근래에는 '불교문학신인상', '강원문학작가상', '한국수필 독서문학상', '창작수필문학상'을 수상하는 저력을 보이기도 했는데 자신의 처신과 문학적 성향에 대해서 "경쟁에 연연하지 않고 둘레 길을 걷듯" 그런 마음으로 글쓰기를 하고 있음을 말한 바가 있다. 이는 "발밑에 밟히는 잡초와 풀꽃"에 이르는 내밀한 것에 까지 두루 살피는 마음으로 글쓰기를 하겠다는 뜻을 나타내기도 한다. 모두가 급하게 성가聲價를 올리고 싶어 하는 통념과는 상당한 거리를 두고 천천히 물드는 경지라고 할까. 어쩌면 수필가들이 지녀야 할 기본적 자질이 아닌가 하는 생각을 갖게 한다.

필자는 이문자 수필가와 사범학교 시절 동문수학의 인연을 지니었고 존경받아온 은사님들께 문학 수업을 받은바 작품집에 수록된 체험의 공유로 특별한 감동을 느끼게 된다. 현재 '우수문예지' 월간 『한국산문』에 『현대수필』 월평을 게재하며 수필문단에서 작가로서의 지평을 넓혀가고 있는 이 수필집이 많은 독자들에게 읽혀 수필의 진면목을 대할 수 있기를 기대하며 천거하는 바이다.

2021년 11월

차 례

여는 글 / 이문자
추천의 말 / 홍성암
서평 / 임헌영

제1부

석양에 이는 물살

그리움에 익다 19
이녁의 봄 24
인연으로 온 고무신 28
모녀 여행 32
임이듯 오소서 36
이 여인의 생애처럼 40
할아버지의 방 44
봄날이 간다 48
시인의 하늘 길 52
까치발 하늘 56

제2부

살며 고뇌하며

63 나, 물이라네
67 등용
72 연둣빛 오월에
75 운명애라는 묘약
79 노는 물이라니요
83 그는 누워서도 명작을 쓴다
88 그래, 토렴이지
92 품이 모자라
96 스미는 것들
100 피카소가 그린 현상학

제3부

때로는 굽이치다가

글쟁이들 대장간 107
내 나이 즈음의 유월 111
두 번째의 고별 115
산하, 요동치다 119
금쪽이 123
그 감격, I Have A Dream! 127
다시, 4월 131
초임지 135
에미야 141
봄이 멀지 않습니다 145

제4부

쉬엄쉬엄 물드는 길

151 귀동냥 중
155 까치놀
159 뭐하세요
162 곰솔 밭에서 듣다
166 청정도량이 여기
170 집콕 살이, 이만하면
174 스무 살 절친
178 에움길에서
182 가을 배웅
186 무화과 향이 사랑이고 그리움인 까닭

제5부

예가 좋아라!

강릉 아낙의 덤 193
겨울 숲에 들다 196
아파트에 튼 둥지 200
경호 있으매 204
꽃보다 초록입니다 209
이 나무의 헌신 213
대관령 217
솔향 푸른 이야기 221
내 집이었네 225
느낌표 시나미 길 229

제1부

석양에 이는 물살

그리움에 익다
이녁의 봄
인연으로 온 고무신
모녀 여행
임이듯 오소서
이 여인의 생애처럼
할아버지의 방
봄날이 간다
시인의 하늘 길
까치발 하늘

"가을이 저 혼자 익어 가겠수? 사람도 같이 익어야지!"
내 입에서 그럴싸한 말이 노래 가락처럼 흘러나왔다.
'그래, 익으려면 제대로 익어야지!'
바로 내 나이에게 이르는 말이었다.

그리움에 익다

태풍에 얹혀 온 가을이 상처투성이로 보채다 순환의 섭리에 맞춰 제 모습을 찾기 시작했다. 촌부들이 내놓은 좌판을 훑어 애호박 한 아름 안아다 창가에 썰어냈더니 조금씩 들어앉는 볕에 오글오글 말라가고 있다. 호박오가리와 볕이는 '사랑 놀음'에 빠지다보면 애지중지 손자 녀석들 보듬듯 가을날 소소한 일상이 행복한 여인네로 만든다. 결벽증 다분한 남편이 창문 열어놓고 산다고 성화가 심해 어렵사리 이 일을 하면서도, 첫서리까지 끝 호박 사 나르는 일을 접을 수가 없다. 백로가 지나면서부터 도지는 내 유년의 그리움 때문이다.

새발 마냥 가는 다리로 총총거리며 내가 제일 신나했던 심부름은 저녁 밥솥에 쌀을 안치며, "호박 따오너라."시던 엄마의 분부였다. '돌람밭'으로 담방담방 뛰어가 호박순 이리저리 들추다 보면 동그만 토종호박이 보물처럼 숨어 있어 조금만 힘을 줘도 똑! 손 안에 들어오는 쾌감에 난 이 심부름이 좋았다. 양손에 호박 두 개를 들고 앙감질 뛰기로 부엌에 들어서면, 말 떨어지기 무섭게 한 마장 거리를 다녀오는 딸애가 대견해 엄만 매양 흡족해 하셨다. 그때 길들여진 애호박과의 교감으로 연례행사 같은 이 소꿉놀이가 해마다 가경에 이르고 있는 거다.

창문 너머로 하늘이 파랗다. 좋아하는 심부름을 힘에 부치지 않게 적당히 골라 시키셨던 내 어머니! 심부름 때마다 고성 한 번 없이 이르시던 엄마가 거기 웃고 계신다. 그리운 목소리도 선연하다.

부신 햇살에 눈을 감고 있으니, 간밤 꿈에서 주웠던 가무잡잡한 알밤이 손끝에 잡히는 듯하다. 이맘때 새벽녘이면 홑이불 당겨 올리며 노상 꾸는 꿈이지만, 날이 밝기도 전에 눈비비고 달려가 줍던 밤 차래기여서, 이 꿈은 꾸고 나서도 기분이 좋다. 겨우내 뒤란 처마 밑 오지항아리에 폭 파묻혔다가 고뿔 한 번씩 앓을 때, 할머니 손에 딱 두세 톨씩 구워져서 손자들 입에 쏙쏙 들어왔던 귀하디귀하신 몸. 올해 밤 주문도 서둘러야지 싶다.

무명실꾸리 같은 그리움이 늘그막 아낙의 뇌리에서 솔솔 풀려 나오는데, 딸아이에게서 안부가 왔다. 절묘하게도 텔레파시가 통한 걸까?

"올핸 호박말랭이가 최상품이 될 거야." 청정 먹거리 예찬론을 곁들여 기대하라는 말까지 덧붙였다. "엄마, 그거 애들이 잘 안 먹어요!" 살가운 모녀간인데도 제 자식들 입맛에선 종종 제동이 걸린다. "무슨 소리야? 고생하는 놈들에게 이런 걸 먹여야지!"

입시생 학부모로 사느라 아이들 편의에 맞춰가는 딸애가 못내 안타깝다.

'고얀 것! 저 아니라도 나눌 데 많거늘…' 애써 평정심으로 돌아오려는데, "거봐, 괜한 짓 하는 거라니까!" 느닷없이 남편의 참견이 건너온다.

살 붙이고 살아온 세월이 얼만데 여태 사람 속을 헤아리지 못 하니 야속하긴 마찬가지. 이래저래 심사가 편치 않아 휑하니 집을 나선다.

걸음을 뗄 때마다 와 닿는 바람결이 삽상하다. 지인들끼리 열심히 걸었던 '태평양 농로'(수십 만 평 농지를 이렇게 비유하곤 한다)로 내려서니, 누런 꼬투리를 단 샛길 콩밭이 풍요롭다. 고마운 결실이 눈물 나도록 반가워 뭉클하다. 이 자투리땅을 마련하느라 무디고 상처 났을 농군의 손마디가 떠오른다. 할아버지의 모습이다.

순간, 누런 들녘에서 배착지근한 냄새가 실려 온다. 논밭 가까이에 가면 더 민감해지는 내 말초적 후각으론, 햅쌀 찧던 날 고봉으로 오르던 그 햅쌀밥 냄새다. 결국 이렇게 오시고야 말 것을 하늘은 왜 그처럼 심통 부리며 사납게 할퀴었는지 모를 일이다. 황금벌이 가을의 품에서 넉넉한 꿈을 꾸느라 자글자글한 햇살과 어울리고 있다. 나도 넋 놓고 함께하는 취객이 되어 말을 잊었다.

신통치 못한 무릎을 생각하고 쉼터에 앉는다. 혼자여서 더없이 편안하다. 강산이 다섯 번쯤은 더 바뀌었을 시공을 넘어 이 가을 들녘에서 유년과 조우하는 순간, 호박오가리 채반 옆에서 피어올랐던 진한 그리움이 파노라마로 펼쳐진다.

이 채도 높은 유년의 그림을 꺼내놓고, 난 할아버지 특명을 받아 초가을부터 새보기를 했던 유년으로 돌아가고 있다. 시내를 건너고 제방 둑을 넘어 큰 감나무 밑을 지나야 하는 낯선 동네를 오가며 내 가슴은 늘 콩닥콩닥 뛰었었다. 짧지 않은 초가을 해를 보내느라 봇도랑을 건너뛰고 송사리를 쫓았다. 그러다 지치면 생이가래를 건져놓고 점심밥 꺼내 먹곤

논 가 뽕나무에 올라가 노랠 불렀던 열 살 안팎의 아이!

내를 건너다 반은 젖어버린 치마폭이 다 마를 즈음, 축구공만한 해가 취병산에 걸리면 새줄 서너 번 크게 흔들어놓고 돌아섰다.

논두렁 밭두렁을 쫓아다니며 무던히도 해냈던 심부름에 유년의 그리움이 절절하다. 수수이삭 토실하게 여물어가는 밭가를 돌아 할아버지 손길에 비단결 같던 옥토를 돌아보는 기쁨을 알았던 나. 어진 농심을 교훈으로 받아 순리를 지켜가는 쪽에 서슴없이 설 수 있었던 것이며, 나를 치유하고 다스려온 소중한 가치와 덕목이 유년에 길들여진 심성이었음을 알기에 스스로를 감사히 여긴다.

"아우님, 내일 가을바다 만나러 가세." 새 시집을 내고 인터뷰 요청에 바쁜 시인에게서 메시지가 왔다. 반가움에 답을 보내고 나니, 그새 집에서 전화가 날아온다. 조바심 하난 유별난 사람이니 지금쯤 마누라 행방에 애를 태우고 있을 게 뻔하다. 그러고는 딸애한테다, "네 엄마 삐쳤나 보다."며 흉도 봤을 게다. 초로를 한참이나 더 넘겼으면서 이런 날 맘 추스르질 못하는 나도 풀잎이거늘 객기 줄어드는 남정네 속은 뭐 별 수 있으랴.

가을 미색에 빠져 장시간 그리움을 타다가 일어서니, 대관령 너머로 해넘이가 시작되고 있다. 그 시절 강아지풀 대궁에 벼메뚜기 꿰어달고 저녁 어스름에 돌아오던 하늘도 분명 저랬을 테고 수수 잎 돌돌 싸말아 가마솥에 갓 쪄낸 차조송편 돌리던 심부름도 석양 무렵! 이 나이만큼 살아낸 여인네가 사는 방식 역시 아름다운 노을이고 싶다. 젊은 날 사기로 충천했던 정점에서 불꽃같았던 열정은 아니어도, 저 황혼녘처럼 그냥 고운 노을로 타고 싶은 소망 하나쯤은 품어도 되지 않을까? 가슴에 묻었던 불씨 하나가 지펴지는지 가슴이 설렌다. 하늘이 짙은 선홍빛으로 물들고 있다.

문간으로 들어서자, "얼굴이 왜 그렇게 상기됐어?" 안도감으로 누그러진 남편이 조심스레 던지는 말이다. "가을이 저 혼자 익어 가겠수? 사람도 같이 익어야지!" 내 입에서 그럴싸한 말이 노래 가락처럼 흘러나왔다.

'그래, 익으려면 제대로 익어야지!' 바로 내 나이에게 이르는 말이었다.

『수필문학』 2012 등단작. 『선수필』 2013. 겨울

이녁의 봄

"봄은 어떤 의미죠? 제가 무디어서 그런 걸까요?"

생애 처음으로 진달래 화전을 부친 날. 한숨 돌리려는 찰나에 막내 후배격인 Y여인에게서 날아온 메시지다. 꽃전을 부치며 봄날로 무르익던 자리가 불과 얼마 전인데 말이다. 황망해 보이는 모습이 어쩐지 평소 같지가 않더라니. 그녈 위한 이벤트도 별게 아니었던가. 진달래 꽃잎은 돌아가며 놓자는 약속에도 줄곧 불 곁을 지키더니만, 바다의 삶을 살았던 친정어머니 사별 후, 그 경황에도 고운 딸 짝 찾아 보내고는 지쳤는지도 모를 일이다. 가까이서 지켜본 신산한 봄이 안쓰러워 맘먹고 벌인 일이건만….

해마다 벼르기만 해오던 진달래 화전을 점지하고 함께 할 얼굴부터 떠올렸었다. 이럴 땐 소꿉놀이 적의 흥이 살아나는 법. 찹쌀가루에 엷은 오미자물, 수수쌀 곱게 내려 팥고물까지 장만했었다. 시집가는 날을 잡은 신붓감처럼 설레며 말이다. 이 가슴 뛰는 봄을 차리며 제일 먼저 꼽고 있었던 이도 Y여인이었던 것. 살가운 성품에 가뜩이나 힘든 근황임을 알았기에 그러했었다.

무슨 답을 주어야 하나 주저하고 있는데 함께 다녀간 선배에게서 연신 화전을 담은 사진이 날아온다. 여인의 생애로 따지자면 이 선배만큼 가슴 아픈 이가 또 있을까. 그냥 나물밥 한 그릇이라 해도 몸만 성하면 달려와 주는 고향 선배. 피멍울 가슴에 응어리를 담고 살면서도 달관으로 채근하며 스스로를 내려놓고 산다. 병원에서 처방받은 약이 오늘도 한 보따리라며 그새 또 뭔가를 챙겨서왔다. 보시의 달인, 당신 몸이나 힘쓸 일이지 허벌나게 깊고 너른 속은 뉘도 따를 수가 없다.

"난 손끝 까딱 않을 테니 용서하거라."

"그럼요. 저희가 다 할래요."

나는 안다. 진달래 바다를 이룬 산길을 헤쳐 아드님 만나러 갈 날이 목전에 오고 있음을. 그 길 오가며 눈물을 삼켜야 할 노모의 가슴도 말이다. 지천으로 만개한 진달래 탓에 그 오열이 더 처절할지도 모른다. 가슴에 문신처럼 들어앉은 진달래 전보단 선배에겐 달달한 수수부꾸미가 나을지도 모른다. 느닷없이 객을 불러놓은 내 가슴이 아리다. 선배의 평온함이 그저 고마울 뿐.

늦게야 합석한 원로시인은 화전의 정석이라며 순서를 일러주는 훈시가 맑은 소프라노를 닮았다. '꽃피는 산골'에서 이미 시심에 거나해진 시인에게 봄의 취기가 극에 달한 순간인 것. 무릇 백송이 꽃보다 시 한 송이 얻는 게 더 간절하다는 시인이다. 여인네의 손끝에서 피는 꽃전 하나하나가 시가 되고도 남음이었을 터다. '꽃빛 절창인 날 화전놀이 갈 엄두는 못 내고 환장할 봄날을 무의도식 했다'는 선배님 시구를 떠올린다. 누추해질 법도 한 노년에 그야말로 '꽃빛 절창의 시'로 흔들어 깨우는 시인이 있어 이 봄을 감사해야 하리.

늦은 밤 장문의 글이 Y에게서 왔다. 첫아이 낳고 우울증이었을 때 무심했던 남편을 성토한다. 진달래색에 홀린 신혼인 줄 알면서도 매일 출퇴근길에서 보는 진달래 얘긴 한 번도 해주지 않았다는 것. 남편 저 혼자서만 봄 기분을 낸 기억이 떠올라 새삼 울컥했었다고 한다. 출산 후에 겪는 미묘한 여인네의 심사를 나 몰라라 한 남정네의 벌칙이렷다.

아련한 세월일 텐데도 그처럼 선연한 기억인걸 보면 나일 먹어도 역시 여인인 것을… 군복무를 필한 아들의 공상公傷 문제로 기약 없는 송사訟事를 벌여야할 텐데도 아픈 속내는 드러내지 않는다. 슬하의 짐을 벗으려면 아직 한참은 멀었을 초로에 든 여인. 아직도 내려놓아야 할 것이 많은 여인의 봄날이 어수선할 수밖에. 그래, 바로 그것이었나 보다.

흔하디흔한 진달래에 사연들이 분분하다. 행복한 봄날을 청하고자 아이처럼 들썩였던 나. 내가 불러들인 봄날이 구구절절 구성진 가락을 읊었대도 어찌겠는가. 손끝 야무진 K선배는 곱다! 곱다! 연발하면서도 뒷전에서 꽃전을 거들었다. 비우고 비워내 더 이상 아파할 곳이 없다는 여인에게 오는 봄은 또 어떤 것이었는지. 누구에겐 감동으로 오더라도 애잔한 그리움인 봄은 힘겹게 넘어야 할 태산인지도 모른다.

철철이 조출한 미션 하나씩은 수행하며 사는 터에 난 이 짓을 멈추지 못할 것 같다. 어설프고 유치해도 내 성정이고 진심이기에 말이다. 고목 등걸에 돋은 싹이 신록보다 빛나듯 이녁들에게도 봄의 전령사는 축복처럼 와야 하기에. 세월에 떠밀려 조금씩 쇠잔해가더라도 해마다 내가 기대하는 봄은 그리 야단스럽지 않더라도 아침 오전 10시 즈음의 아늑함이면 족하겠다.

달랑 꽃전 몇 닢을 지지고도 행복한 날, 이런 소박한 호사쯤은 허락돼야 이녁의 봄이라 일컫지 않겠는가. 어느 날엔가 환한 봄빛 속으로 나가 그냥 느슨히 흘러도 좋을 그런 봄날을 꿈꾸며 난 또 설레는 중이다.

『한국산문』 2016. 6.

인연으로 온 고무신

이 나이에 꽃신 한 켤레가 인연으로 왔다. 아롱다롱 꽃그림을 품고 온 깜장 고무신이다. 내게는 살갑고 애틋한 귀빈 격이다. 선연善緣이라 여겨 문간의 제일 환한 자리에 앉혔다. 어린 시절 시골 여아와 짝패처럼 붙어 다니던 그 모양새는 아닌데도 자꾸만 눈길이 간다. 목숨도 깃들지 못한 것이 무슨 재주로 사람을 홀리는지.

내 유년의 발에 노상 붙어 다니던 신발은 그리 귀한 몸은 아니었다. 비천한 신분이었냐면 큰일 날 소리다. 중학교 진학 무렵까지 고락을 같이 했던 터라 절친 사이였다고나 할까. 비오는 날은 종일 '뽀그락' 소리를 내며 날 따라다녔고, 집에 와 물 한 바가지로 쓰윽 헹구고 나면 그만이었다.

그때 '새 다리'였던 여아가 신으면 못 가는 데가 없었던 납작한 고무신은 십여 리 학교길이며 뒷산, 앞내로 쏘다니느라 꽤나 힘들었을 게다. 훗날 운동화가 대신했지만 젖은 신발을 부뚜막에 말리느라 애쓰던 조바심에 비하면 고무신은 얼마나 허물없던 친구였던가.

기차표 고무신이 꽃신으로 변신한 단초는 순전히 복사꽃 마을에서다. 오지랖 넓은 아낙에게 초대되어 감자송편을 포식하던 날. 이 여인네가 종일토록 반해 산다는 집 앞 봇도랑엔 새하얀 고무신 한 켤레가 늦여름 햇살에 뽀송뽀송 말라가고 있었다. 논물 흥건한 초여름 논배미를 배경으로 여인의 고무신이 연출하는 시 한 편에 그만 홀리고 말았던 것. 정말 그랬다. 도랑에 걸쳐놓은 널빤지에 올라앉아 뽀얀 고무신이 쓰고 있었던 건 눈부시게도 고운 서정시였다.

파스텔화 대화방에 꽃신 얘기가 모락모락 피게 된 것도 바로 그날 밤. 꽃 속에 묻혀 사는 ㄱ시인이 그 하얀 고무신에다 꽃그림을 그려주고 싶다나. 익어가는 세월만 아름다운 게 아니라 꽃을 부리는 감성도 한 수 위였던 것이다. 발의 호구조사(?)가 진행되고 고무신 한 아름이 부려진 건 다음 만남에서다. 마술이라도 부리는 건지 그날 아크릴 물감이 현란한 꽃으로 환생하여 파스텔화 방이 돌연 꽃신공방이 되고 말았다.

꽃을 향한 구애를 점수로 매긴다면 여인의 끼를 능가할 대상이 있을까. 풋풋한 스무 살 젊음은 선홍의 꽃잎을 그리느라 수다도 잊고 있었다. 시인들 손끝에선 여린 들꽃 향기가, 화가의 그림붓에선 형언키 어려운 순백의 데이지가 피어올랐다. 내 깜장 꽃신도 마찬가지. 자잘한 꽃잎에 나비 한 마리를 올렸더니 수작秀作이란 부추김이 이날따라 달콤하다. 하양, 깜장 고무신이 꽃밭이듯 눈이 부셔 기쁨을 주체 못하는 여인들이 꽃신을 벗을 줄을 모른다. 이런 호사를 생각조차 못했다며, 훨훨 날 것 같다며 들뜨고 설레고…. 그날 밤 꽃고무신 하나씩 품은 여인네들은 하늘을 날아오르는 꿈들을 꾸지 않았을까.

나눔에 이골이 난 가인佳人들이라 폭염에도 '꽃신 사랑'을 펴내는 중이다. 곳곳에 나비처럼 날아다니는 꽃고무신 바람이 '솔향'을 '꽃신 나르시시즘'으로 몰아넣을 기세다. 이럴 때 발휘되는 여인들의 모성이며 정감은 늘 예기치 못한 감동을 자아내고 곳곳에서 일어나는 일화들이 자못 풍성하다.

자리마다 피어나는 분홍빛 사연들이 분분하다. 꽃 시인이 다섯 살 쌍둥이 손녀들에게 신겼더니 고 녀석들 꽃밭 속에서 나풀나풀 나비 두 마리가 되더란다. 청정도량에 풀어놓은 노시인의 서른 몇 켤레 보시布施는 고적한 절간을 꽃밭으로 만들었다는 얘기. 남세스럽다며 한사코 마다하던 뒤 댁의 남정네는 마당을 서성대다 꽃신을 들켜버렸다는 둥. 보육원 천진동이들에게 까르르 웃음이 되고, 시인이 드나드는 찻집에선 시심 엮는 매파媒婆 노릇까지 하는 꽃신이 향기를 물어 나르는 나비라 일컬어도 틀린 말은 아닐 듯. 꽃신 이벤트의 감동이 좀처럼 그칠 줄을 몰랐던 것도 감성 질펀한 여인들이었기에 가능했으리.

화실의 문우들은 꽃신 차림새로 바깥출입을 잘도 나선다지만, 내 꽃신 행차는 가을 초입에야 성사되었다. 아파트 살림이라 호젓한 날을 잡자고 한 것이 여름 한철을 그냥 보냈다. 깡총한 주름치마를 골랐다. 그냥 하늘거리고 싶어서다. 고작 인근 공원이지만 고무신 차림이 실로 얼마만인가. 맨발에 와 닿는 보드라움이 가물가물한 시공을 거슬러 유년으로 데려간다. 깨금발로 뛰어본다. 아하, 날아오를 것 같은데도 한 뼘 높이가 못 된다. 어느새 헐거워진 몸. 강산이 대여섯 번은 변해온 세월이니 새삼 이를 말인가. 아파트 마당이라도 자주 나설 걸 무얼 기대하고 벼르기만 했는지 무색하다. 그래, 이 나이에 날지 못하면 어떠랴. 꽃신 헌정獻呈으로도 여름 가을을 행복했으니 감사할 일 아닌가.

새 쫓고 돌아오다 전천에 새 고무신 한 짝을 떠내려 보내고 눈이 붓도록 울었던 아이. 어스름 땅거미에 담 밑에서 울먹이던 일이 이제 와 절절한 그리움으로 오버랩 된다. 유년에 함께 쏘다녔던 짝꿍은 아니어도 지금의 내겐 그냥 바라보는 것으로도 애틋한 인연임에 틀림이 없다. 그 풋내 나던 시절의 아슴한 기억이 새 인연으로 와준 덕분이 아닐는지….

『영동수필』 2017

모녀 여행

딸아이가 온천엘 다녀오자며 속히 답을 달라고 한다.

'무슨 온천엘 또?' 내 대꾸에 이번엔 패키지가 아니라며 바람을 넣는다. 간절함이 묻어있지만 나설 수가 없다. '에그, 못난 것.' 나도 모르게 나온 소리다.

지난해 시인 선배를 하늘 길로 배웅하며 따님의 오열을 지켜보아야 했다. 고인이 그토록 원했던 모녀여행이 한이라는 거였다. 여러 날을 벙벙해 있던 차에 내 자식에게서 온 제안이 바로 그 '모녀 여행'이었다. 코앞으로 다가온 일정이 있었지만 미련 없이 접었다. 소품 패키지라 다행이었고 텔레파시라도 통했나싶어 고맙고 신통하고 암튼 그랬다. 설국 대신에 라벤다가 지천으로 깔린다는 시기여서 감성여행이란 로망까지 안았다. 설렐 수밖에.

북해도 사흘째, 이네들이 에도시대를 재현했다는 노보리베츠 민속촌을 들어서다 일행에 뒤진 게 탈이었다. 제때 볼일을 해결하지 않았다는 핀

잔이 제 새끼들 나무라는 소리다. 공연 객석에 끼어 가까스로 설움을 누르지만 눈물을 주체할 수가 없다. 이런 변고가 있을 줄이야. 남의 땅에서 '오이란 쇼'이고 뭐고 슬픈 악몽이다.

자식이라지만 상처 난 자존심이 온전할 리 없다. 운하를 등지고 돌아앉은 붉은 창고 건물. 미동 없는 수로에 거꾸로 누운 가로등이 서글픔을 부추긴다. 오타루 제1의 명소라더니 그림으로 본 야경과는 딴판이다. 이마저 기대했던 모습이 아니니 이래저래 심란하다. 어미의 심사를 아는지 모르는지 무심한 것은 사진에만 열중하고 있다. 무안함을 감추는 것이라면 모를까. '모녀 여행'을 천명(?)하고 떠난 체면이 말이 아니다. 저것이 내 속에서 나온 새끼가 맞는지. 자식 보듬으며 온 세월이 저한테도 있으련만. 서럽다.

첫 손주로 온 갓난쟁이를 들여다보며 어머님은 흡사 애비 얼굴이라며 만면에 희색이셨다. 닮지 않아도 될 성정까지 빼닮은 내 자식. 한없이 살갑다가도 날을 세울 때면 뾰족 송곳이 무색하다. 이 나이에 온 어미 사정쯤은 헤아릴 법 하건만 신신당부하던 제 아비 부탁도 잊은 모양이다. 얄궂다.

'아서라!' 어느 결에 내 어머니 음성이 날아와 머문다. 밖에서 굴러든 뉘(?) 한 톨에 새까맣게 탓을 속내를 여간해선 내보이지 않았던 분. 죄 없는 피붙이에게 눈총이라도 줄까싶어 수시로 날아오던 엄마의 경고. 유난히 외곬이었던 내게 더 그랬었다. 남의 식구 되어 문안조차도 생략하고 살았던 불효라 생전의 음성은 용케 붙들고 산다. 그 덕에 이 나이의 자식에게 올 때도 엄만 예외가 없으시다. 뭐 묻은 어미가 새끼 나무란다고 하실 테지. 면목 없는 짓이다. 어느새 곁에서 셀카를 누르고 있는 딸아이다. 넉살하고는. 소심한 제 어미를 쥐락펴락 한다.

이색 풍물로 넘치는 거리로 나선다. 자유시간이 주어진 덕에 한결 느긋해졌다. 오밀조밀 골목 안 풍경이 비로소 눈에 들어온다. 빠듯한 스케줄에 허둥거리지 않아도 된다. 생각하는 만큼 볼 수 있는 자유다. 박물관에서 오르골 하나를 골라 머리맡에 두란 말에 허릴 감는 새끼. 그래, 이런 여유가 있어야 했다.

'모녀 사이'를 애증의 관계라고들 말한다. '여자'의 성으로 태어나 쉽지 않은 생애를 살아야 하는 한 끄나풀의 두 목숨. 모체와 분신이었던 까닭에 서로가 조건 없는 사랑을 퍼붓다가도 미움을 불사하기도 한다. 앞서거니 뒤서거니 여인의 삶을 잇다보면 애증의 교차가 적나라할 수밖에 없음인가. 서로에게 터무니없이 몰입하다가도 터무니없이 나뒹구니 말이다.

치사랑이 내리사랑만큼 쉽지 않음은 물이 흐르는 길이나 진배없을 터이다. 그날 밤 내 자식은 이내 잠속으로 들어갔고, 열 달을 뱃속에 품었던 새끼 하나 어쩌지 못해 궁색했던 어민 밤새 전전긍긍했었다. 새끼들 키우던 호기豪氣며 강단은 어디다 흘렸으며, 무얼 얼마나 기대했기에 푼수데기로 휘청거렸는지 모르겠다. 언사 한 마디에 매달려 자식에게까지 솔직하지 못했던 옹색함이 이제 와서야 부끄럽다.

작은 도랑물에서 흘러와 바다에 이를 날이 눈앞에 와있다. 이제는 헐렁하게 비우고 소리 없이 흐르라 한다. 이번엔 패키지가 아닌 자유여행이라고 했으니 저도 호젓이 다녀오고 싶은 맘 왜 없으랴. 심중을 읽었으니 그걸로 족하다. 굳이 바다건너가 아니면 어떤가. 문밖 몇 발짝을 나서도 젖먹이 시절의 찐한 하룻밤, 그런 가슴이면 되는 것을. 한 오라기로 엮인 삶이니 내게 허락된 남은 날들 모두가 모녀여행이 아니겠는가.

시인의 유고집 《아픈 나무를 위하여》를 받아들었다. 모녀 여행이 한이라던 따님을 떠올린다. 엄마의 열네 번째 시집을 엮으며 가슴 아픈 모녀여행을 했을 생각에 나 역시도 가슴이 아려온다.

모녀 여행, 도대체 그게 무엇이관데 그렇게 흔들렸는지 나도 모를 노릇이다.

『한국산문』 2018. 7.

임이듯 오소서

오시는 태가 나날이 그님이시다. 성성하던 초록이 초췌해지는가 싶더니 성큼 따라 온 가을이 말갛게 하늘을 닦아놓았다. 여름 내내 등짝붙이고 지내던 대자리를 걷어낸다. 차렵이불도 훌훌 내다걸었다. 임 오시는 길목에서 두 팔 벌리고 맞아야 하는데 이 수심은 무언가. 온 여름날을 축제로 달아올랐던 자리에 슬그머니 똬리를 틀고 앉는 막연함 말이다.

광복 70년의 조국이 하나로 열광하던 날은 절정을 치닫던 폭염도 시원한 물보라 같더니만. 45년생에게 당겨진 불씨가 어느새 사그라지고 만 것인지 문밖에 당도한 계절이 조바심을 부추긴다. 파란 많던 해방둥이들에게 불쏘시개 없이도 잘 타올랐던 가슴은 언제 그랬냐는 듯 가을맞이가 이리 심란할 줄 몰랐다.

여름세미나를 앞두고 태풍이 덮친다는 예보에 며칠을 안절부절 못했었다. 이웃나라야 어찌되었든, 모처럼 기획한 거사를 그르칠 위기여서 속은 까맣게 타고 있었다. 동동거리며 하느님 부처님까지 불러가면서….

신의 은총이었을까. 파랗게 열려가는 하늘 아래서 장중은 힐링으로 충만했고 임이듯 가을이 기적을 안고 행차하셨다. 솔바람 솔향기 좋은 날 가을이 데리고 온 기막힌 은전에 연사들의 명 강의는 더할 나위 없는 감동으로 익어갔다. 가을의 영접이 심란하다 했음은 염치없는 짓이었다.

신간이 문전성시를 이루고 있다. 우편함이 비어있을 때가 더 반가울 정도로 책 간수하는 일이 고민이다. 작가들의 함축된 아포리즘을 그림으로 읽을 수 있어 사뭇 감동인 수필집을 펼쳐들고 까닭모를 감상에 빠져든다. 내겐 주눅이 들고도 남을 일이다. 명사의 글이어서가 아니고 유명세 떨치는 작가의 삽화 때문만도 아니다. 요즘 타성이 돼버린 나의 초라함이 자괴감으로 엄습해온다.

C교수님의 인문학 신간을 단숨에 독파하긴 무리여서 쉬엄쉬엄 가는 중, 후배를 자처하는 수필가에게서 한 주가 멀다고 신작 글이 날아온다. 반전의 삶을 통해 성실 하나로 성공가도를 달려왔기에 글감도 이채롭고 감명 깊다. 심중에만 모셔둔 내 글은 저만치 밀쳐두고 따끈따끈한 글을 만나는 매력에 감상 달아 보내는 일 하난 열심이지만, 내 글밭은 빈약하기 이를 데가 없다.

뒤늦게 들어선 글 동네. 황새걸음도 모자랄 판에 뱁새걸음을 하고 있다. 정말 쓰고 싶을 때 거둔 글이 아니면 억지춘향 같아 내놓기가 부끄럽다. 마음 가는대로 쫓아가다 보면 글쟁이란 생각을 잊을 때가 많아 오히려 그때가 살맛나기도 한다. 그러다 글발이 풀리는 날은 철야도 마다않는 터라 나이를 잊었냐며 옆 지기의 참견이 난무한다. 아낙의 도리라는 게 참 맹랑하여 까다로운 식솔에게 먹거리 대령하는 일이 수월찮아 해거름에 작정한 글도 미뤄지기 일쑤다. 별식이라도 주문하는 날은 대충 때워버릴까 싶다가도 이 나이에 일탈도 용기가 필요하니 어쩌겠는가. 동아줄처럼 질겼던 고집도 눈에 띠게 줄어든 남정네. 그 헛헛한 심사 어기지 않는 것도 수행이려니 싶어 종일 전업주부가 되기도 한다.

한 우물을 파던 젊음을 지나 지금은 길가에 비켜 선 노을 녘. 자처하고 나선 것도 아닌데 과업 몇 가지가 늘고 말았다. 일에서 잠시 벗어난 후에야 달아나버린 시간을 깨닫곤 하지만, 하지 않아도 그만일 나이에 일에서 헤어나지 못하는 사람. 글 쓰는 일에 매달려야 할 시간을 여기저기다 퍼내고 있으니 분명 속빈 강정인지도 모른다. 자책을 일삼다가도 소소한 성취감에 다시 그 속으로 빨려들고 있으니 이도 맘먹은 대로는 어렵지 싶다.

여름내 글 한 편을 쓰지 못했다고 푸념이나 일삼을 때는 아닌 것 같다. 수확의 계절이라고 무작정 움켜쥘 수만은 없지 않은가. 어떤 생애든 되돌릴 수는 없는 법이니 오늘을 후회 없도록 살면 그만일 터. 짊어지고 온 삶이 온전히 내 몫이기에 최선을 다할 뿐이다. 그동안 곁을 스쳐갔던 수십 번의 가을이 새 손님으로 오심이니 정겨운 임이라 부를 수밖에.

이별을 준비해야 할 산야의 초목들이며 고별이 예고돼 있는 가슴 아픈 이들에겐 잔인한 계절일지 몰라도 땅에 떨어져야만 새 생명을 얻는다 했거늘. 본디 있어야 할 제 자리로 돌아가는 길이 이 가을엔 억울하지만은 않았으면 좋겠다.

임이듯 가을을 맞아야겠다. 푸른 계절에 못다 이룬 열정을 불꽃처럼 태우러 오시라고. 땀 흘린 이들에겐 넘치는 기쁨을, 그리움이 많은 가슴들엔 단풍으로 물들어 행복하게 해 달라고. 애끓는 노모의 산사 길을 무탈하게 이끌어 참척의 눈물을 그대 손수건으로 닦으면 그대가 바로 임일 것이니….

비워내고 떠나보냄이 아름답다 하면서도 거둘 것이 없다고 침울해하는 이 생애를 어여삐 여기시길. 이 가을, 무엇이 참으로 좋고 소중한가를 알아 나도 그대 손에 단풍으로 물들어야겠다. 너무 빠른 걸음으로 말고 고운임이듯 사뿐사뿐 오시기를.

내 누추한 뜰에 그대 맞이할 따뜻한 자리 하나 마련해 놓으리라.

『한국수필』 2015. 11.

이 여인의 생애처럼

나이 일흔에 다섯 해를 더 보태고 산다. 내 어머니 일흔넷에 가셨고, 일흔여섯에 세상을 뜨신 시어머님. 두 분 생애의 중간 나이에 와 있다. 지난해 엄마가 가신 나이만큼을 먹고 부턴 먹먹하기만 하더니, 이즈음엔 시어머님의 말년을 떠올리며 죄인의 심정이 된다.

손잡은 며느리를 앞에 놓고도 스물여섯 해를 불러온 '에미야'는 까마득히 잊으셨던 어머님. 지독한 알츠하이머에 말문을 닫으시고 미망을 헤매시다 가셨다. 일곱 해를 꼬박 망각의 늪에서 헤어나지 못하셨던 어머님과 지병으로 오래 시달렸던 친정엄마께 속죄하는 맘으로 이 글을 적는다.

수필가 유병숙 작가의 자전 에세이는 나로선 꿈꿀 수도, 기대할 수도 없었던 '넘사벽' 같은 것이었기에 고부간이 그려가는 모습은 부럽기만 했다.

어느 날부턴가 작가의 시어머니는 치매로 열여덟 순정의 나이로 돌아간다. 며느리는 졸지에 시어머니의 친정 올케가 되고 '언니'로 불려지며,

마치 소설 같은 동거가 시작된다. 금강산이 지척이었다는 시어머니의 친정집. 얼마나 그립고 가고 싶었으면 열여덟의 처녀시절로 돌아갔을까. 책을 읽으며 그분의 향수병에 이입되다보면 나도 십대의 유년으로 갔다가 황망했던 며느리 시절로 돌아오고는 했다.

"유병숙아!" "우리 병숙이" "얼씨구 좋다!"며 집안 구석구석을 환한 은방울소리로 채웠던 어르신. 기억을 잃어가는 중에도, 어머!, 아휴! 라는 감탄사를 연신 쏟아내었다. 맑은 오르골 소리가 집안을 끊임없이 구르듯 말이다.

시어머니를 목욕시키던 날, 며느린, "어머니, 시집 보내드려요?"라며 농을 건다. "그분이라면 생각해볼게요." 놀랍게도 작고한 남편의 함자를 대는 것이 아닌가. 환자에게서 그런 대답이 나오다니! 그야말로 언어의 연금술사라 해도 좋을 만큼 절묘한 응수였다.

이 경이로운 한 마디를 시작으로 어른은 시설에서도 '행복 전도사'가 된다. 노래로, 웃음으로 환한 에너지를 발산할 땐 누가 환자인지 모를 만큼 말이다. 혹독한 고통을 겪는 치매 가족들을 생각하면, 작가의 가정이야 말로 크나큰 축복이 아니었던가 싶다. 고부가 그려내는 그림 같은 둥지가 환자들의 이상향이라 느껴질 정도였고, "어르신, 고맙습니다!"란 말이 입에서 절로 나왔다.

필자는 혼수상태가 된 친정아버지 곁을 지키며, "아버지는 맏딸인 내게 의지하려 했지만, 난 사랑에 눈이 멀어 일찍 결혼했다."고 오열한다. "엄마 기억 속의 나는 언제나 20대 초반, 제대로 가르칠 새도 없이 시집을 가버린 아픈 손가락이었다."고… 자신이 능숙한 주부9단이 되었음에도 근심을 놓지 못하는 친정엄마가 야속하기만 하다. 부모 마음은 내 자식의 며느리 살림살이에 따라 희비도 함께 흔들리는 것일까. 연민의 정이란 세상의 친정엄마들 모두가 어쩌지 못하는 생리인지도 모른다.

작가의 글 마흔다섯 편은 시종 신기한 나라를 다녀오는 기분이었다. 매 편마다 곁들인 일러스트 삽화가 아늑한 성으로 들어가는 문처럼 여겨져, 이미지를 대하고 나면 신기하게도 글이 편안하게 읽혀졌다. 그림을 대할 때면, "그래! 당신 정말 그랬지!" 하는 부군의 음성이 환청으로 들리는 듯했다. 동심의 세계가 아닌 수필에서 고품격 삽화를 만난 건 처음이었고, 예쁜 궁전으로 통하는 비밀스런 쪽대문을 들어서는 환희로움 역시 진기한 경험이었다. 일러스트 작가의 명성 때문이 아니라 내자의 고충을 지켜봐준 따뜻한 시선, 미더움이었다. 정말 그랬었다. 누가 생각하더라도 이 에세이집은 '부창부수'란 말이 딱 들어맞을 만큼 행복한 맘으로 읽히는 글이었고 따뜻한 고백이었던 것이다.

어머님이 지린 자리를 치울 때면, 늘 등 뒤에서 내 남편이 했던 말이, "아버지 때는 내가 맡을 게."였다. 원거리 직장에서 황망히 달려와 젖은 빨래며 흘려놓은 대소변을 치우는 게 민망해 보였을 것이다. 열다섯 해 뒤, 그 당당했던 약속은 어디로 감추었는지 멀찌감치 비켜 서있던 사람. 지금도 실소로 그치고 마는 건 미워도 내 식구인 까닭인지 모른다. 필자가 시어른 두 분의 병시중에도 고달픔을 잊었던 건, 이미지처럼 부부가 고락을 함께 감내했을 부부애가 아니었을까 싶다.

필자의 일상에서 읽혀지는 감성과 순수 지성을 만나며 같이 설레고 같이 흔들렸다. 맨발로 산을 오르고, 히말라야 영봉을 찾아 바람의 말을 들으며 숭엄한 산을 품은 일. 「날개를 접은 섬 백령도」에서 먼발치로 개성을 바라다보며, "아버님의 가슴에 맺힌 눈물처럼 그렁그렁하게 보았다."는 효심 깊은 며느리. 한국판 소로우의 삶을 산 권정생 생가를 다녀온 후, "나는 한동안 권정생 앓이를 했다."고 흉금을 털었고, 어느 날 지하철에서, 남편에게 시어른의 위독함을 알리며 함박웃음을 감추지 못하는 한 여인을 유추해내는 작가의 시선은 또 어찌나 기발했는지 모른다. 지성, 감성, 효성의 일치가 주는 에세이에, 부족한 딸이고 며느리였던 나였기 후회와 감동이 교차하는 독서였음을 토로하지 않을 수 없다.

작가는 말미에서, '할머니를 따라 말을 배우고 그 할머니 사랑이 녹아들어, 할머니가 잊어버린 말을 가르치던 자신의 딸'이 엄마가 될 날을 기다린다고 했다. 한때 꽃처럼 예뻤을 엄만 한 달 후 외할머니가 될 기쁨에 "그래, 기다려라. 딸아!"라며 지나간 그리움을 불러낸다. 그 엄마에 그 딸이 아닌가.

'혼족 문화'를 불문율처럼 여기는 우리 젊은이들에게 친정엄마, 시부모라는 의미는 관심사 밖일지도 모른다. 작가는 세상의 어떤 기쁨보다도, 어떤 아름다움보다 숭고한 위업은 '생명의 잉태'라는 메시지를 세상에 보내고 싶었을 것이다. 그러기에 세상의 딸들과 며느리들의 필독서가 되고도 남음이 아닌지.

불효로 살았던 내 삶이 부끄럽지만 소용없는 일이다. 다음 세상에 다시 올 수만 있다면 이 여인의 생애처럼 두 분 어머님을 섬겨보고 싶다. 그게 어디 가당키나 한 일일까만.

2019. 9. 26.

할아버지의 방

할아버지의 사랑방은 땀내만 밴 곳이 아니었다.

너덧 평에 불과했던 중농의 처소. 이곳에서 보낸 조부님의 생은 아무나 흉내 낼 수 있는 게 아니었다. 유림에 적을 두시고도 영농에 억척이셨던 어른. 알음알음 찾아오는 손들에겐 꼿꼿한 어른의 모습으로, 추수 후 친인척이 줄을 잇기 시작하면 대소가의 어진 문장門長이셨다. 엄동에도 훈훈했던 우리 집 사랑방은 할아버지의 넉넉한 품이었고 어진 농심의 둥지 같은 곳이었다.

초등생이었을 때. 툇마루 밑에 나란히 벗어놓은 검정고무신 여러 켤레가 눈에 들어왔다. 아이들 넷에 젖먹이를 안은 웬 아줌마의 내방이었다. 고만고만한 사내아이들은 한두 살 차이인 듯. 애들 엄마는 놀랍게도 할머니를 '어무니'라 부르는 게 아닌가. 할머닌 이제부터 '큰고모'가 되는 거라며 만면에 웃음… 에고, 언젠가는 아저씨 한 분이 할아버지 수양아들이 되었다고 다녀가더니 이번엔 큰고모? 시집간 우리 고모는? 왠지 우리

할머니가 낯설어 보이는 순간이었다.

"윗동네 옹구점 가족이야." 마루 위에 덩그렇게 포개진 버래기를 가리키며 언니가 귓속말로 말했다. 할머니가 저 옹기그릇 때문에 넘어간 거라고 생각했다. 장독을 신주단지처럼 여기는 할머니였으니까.

8남매를 낳아 끄트머리 셋만 간신히 붙들었다던 조부모님에겐 수양아들, 딸로 받아들인 이들이 동기간이나 진배없는 가족이었다. 지금의 세상이었으면 어디 꿈이나 꿀 일이던가. 할아버지 호적에 이런 일이 빈번했음은 오지랖 넓은 아버지와 삼촌이 물어오는 인정이기도 했고 독자로 자란 할아버지의 내력 때문이기도 했으리라.

이 가족이 천주교 박해 때 산속으로 숨어들어 옹기를 굽기 시작한 배요섭 옹기장의 후손이라는 것. 사람 좋아 보이는 '큰고모'는 호적상에 없는 사람임을 나중에야 알았다. 똘똘했던 네 형제 중 둘은 훗날 가계를 이어 사제서품을 받았고 유림의 할아버진 뜻밖에도 천주교 신부의 외할아버지가 된 격이었다.

쌀 한 톨이 귀했던 시절, 연례행사처럼 방문하는 친인척들은 할아버지 방에서 2,3일을 묵어갔다. 밤을 새우며 정담을 나누는 사랑방이 평화로워 보였다. 진외가(할머니 친가) 인척들, 왕고모 할머니와 지손들에 할아버지의 사촌, 오촌뻘 조카들까지… 어느 날은 산골에서 서출庶出인 아버지 육촌되는 두형제가 알현하고 갔고 아버진 그 동생의 일자리를 주선하기도 했다. 그뿐이랴. 고교유학을 온 팔촌 오라버니 둘에 큰 이모부 밥상까지 차려야했던 엄만 술밥 찌는 일, 동동주 담그는 일로 허리 펼 날이 없었다. 이따금씩 떡 함지를 해 이고 다녀가는 막내 이모 내외가 큰 위안이었는지도 모른다.

훗날 엄마는 곡간에서 겁 없이 쌀을 퍼낼 수 있었던 건 순전히 할아버지를 믿었기 때문이라고 했다. 성찬은 아니어도 오실 때마다 달게 자시고 간 어른들이 고마웠다고… 병해가 심해 논농사가 반작이 되는 해가 더러 있었다. 무쇠 솥에 밥을 해댈 땐 조바심이 제일 컸던 할머니. 손님이 없는 날은 칼국수, 콩죽으로 저녁을 먹으며 양식을 늘여먹는 거라고 했다. 손님 올 때를 대비해 쑥쑥 내려가는 쌀독의 대책이었을 터.

집에 오는 손들이 맘 편히 묵어갈 수 있었던 건 강골 농사꾼이 흘린 땀방울과 쌀독을 요량해가며 밥상을 조절했던 부엌의 지혜 덕분이었을 것 같다. 시골의 서원 출입이 다였을지도 모를 노옹에게 백석지기 부농이 부럽지 않았던 인정은 당신을 닮아 의리에 주저함이 없던 식솔들이 한몫씩 거들었기 때문이었다.

엄마의 세 딸 중 언니는 살림 밑천, 손아래 셋째는 순한 복덩이, 난 동네 어른들에게 '번개양반 손녀'로 통했다. 전란 통에 어렵사리 세상에 나온 쌍둥이 녀석들은 보기만 해도 좋았을 '금동이'들. 심부름은 자연히 몸이 날랜 내 몫이었다. 대장간에서 벼린 연장을 찾아오고 일요일이면 물 건너 앞마을에서 땅거미 어스름 때까지 새떼를 쫓았다. 논둑 밭둑길로 막걸리, 물 주전자를 나르며 그렇게 중학교 졸업 때까지 할아버지의 충복이었던 셈이다.

사랑에 손님이 없을 땐 할아버지 곁에서 누렇게 묵은 한지에 필사한 고전소설을 펼쳤다. 군담소설 《장백전》을 떠듬떠듬 읽노라면 할아버지 주석이 달려 대충 이해가 되는 터였다. 놋쇠 재떨이에 장죽 떠는 소리로 심기를 알아챘고, 인기척이 나면 냉큼 자리끼 대령하는 일은 언니의 담당.

손주들 불러 앉히고 조선실록 어느 대목인가에 있을 성군들 일화며 사자성어로 인륜의 도리를 일러주시던 '굼바우집' 어르신. 중학교에 가서야 배웠던 '홍익인간'의 의미를 동네 아이들보다 앞서 알았고 손주들 부르실 땐 꼭 '우리 아무개'였다. 며느리가 지은 흰 두루마기 차림으로 삼척향교를 다녀오시며 삽짝을 들어서시던 훤한 모습이 선연한 건 그 유년이 행복했음이 아니겠는가.

천장에 매달려 주인의 외출을 기다리던 반구형 갓집 하나. 방주인이 감아주는 밥을 먹고 유별히도 크게 울리던 벽시계. 단출했지만 온기가 넘치던 방에서 길들여졌던 가르침은 여기까지 이끌어온 올곧은 유산이고 보루였음을 알겠다.

세월이 바뀐다고 인륜마저 변할까. 버킷리스트니 뭐니 하여 앞만 보고 달려도 모자랄 시간이지만 그보단 멈춰 서서 나를 묻고 답할 여유가 있어서 감사하다. 지난날로 퇴행하는 넋두리가 아니라 태생의 원류를 짚어가는 내 본향의 회복인 것이다. 내 할아버지의 생이 그러하셨음에…….

2021. 10. 14.

봄날이 간다

꽃잎이 지고 있다. 고인의 혼이 실렸음인지 이봄 따라 유난히 붉던 홍매가 진다. 반기는 이 없는 곳에서 꽃인들 흥이 났을까. 사철 꽃 잔치를 벌여놓곤 매양 홀려서 사시던 님. 뒤를 이어 피어날 꽃들은 어쩌라고 가뭇없이 가셨는가. 주인 잃은 뜰 안에 꽃잎만 어지럽다.

늘그막의 호사가 시 한 수씩 받는 일이고 차 나눔이라 했다. 장난감 같은 다기를 차려놓고 철철이 꽃차를 따르던 시인. 향긋한 시까지 곁들이면 세상을 다 가진 거라며 황홀경을 연출해 모두를 행복하게 하더니. 좋은 거라면 뭐든 주고 싶어 안달이던 여인은 말랑한 경문으로 흉금을 털며 아린 속내까지 훑어내곤 했다.

좌중이 무르익으면 으레 꺼내보이던 사진. "내 영정으로 정했네!" 사뭇 상기된 목소리였다. 꽃 덤불을 뒤로 하고 보랏빛 무늬 원피스에 앵글을 맞춘 스냅 사진은 누가 보아도 고왔으니. 세상 근심 다 날려버린 안온한 미소, 그 모나리자 같은 표정으로 시인은 마지막 가는 날에도 그렇게 기억되고 싶었던 것일 게다.

청천벽력의 부음을 받는 순간 선배의 그 모습만 아른거렸다. 분명 그 미소로 반길 것이기에. 그러나 충격이었다. 제대로 놓여있어야 할 그 자리엔 낯선 영정이 대신하고 있었으니…. 문턱을 자주 드나들었을 슬하에게 망인은 어쩌자고 그 중한 당부를 잊었단 말인가. 생전의 약속대로라면 시인은 운명한 것이 아니었다. 잠깐 어디에 숨어있는 것이었다.

시 빚는 일만큼은 거침이 없던 분. 세상을 접고 가는 마지막 길은 왜 그리도 서투르기만 했을까. 한번 다녀가면 그만인 이생인줄 모를 리 없었으련만 귀띔 한 번 없이 돌아서버렸으니 반칙도 이런 반칙은 없을 터이다. 통증 같은 거 한 마디도 비치지 않았고 마주 하고서도 당신 신병은 입 밖에 낸 적이 없었다. 글 동네 아우라며 끔찍이도 위하시더니 사탕발림이었던가. 나 혼자서 한 짝사랑이었던가. 나, 지금 몹시 아프다고 하소연이라도 했어야 옳았다. 연습조차도 허락되지 않는 이별을 그리하고 가시다니 난 형편없는 청맹과니였던 게 아닌가.

시 한 송이를 받겠느냐 꽃 백 송이를 받겠냐고 누가 물으면 토 달지 않고 시 한 송이라 대답하겠다고 했다. 화기애애한 자리에선 선뜻 주머니를 열었고 '발칙한 시'를 지었다며 나이가 무색하게 읊던 여인. 시가 오시면 받아 적고 아니 오시면 마냥 기다린다며 뱃심 좋게 느슨히 흐른다고도 했었다.

입 밖으로 내기만 해도 여인네들을 낭창낭창 흔들어놓던 시어는 여인네로 사는 내밀한 정으로 저릿저릿 안겨와 덩달아 시인이 되게 하는 거였다. 잘 생긴 소나무를 안으면 서방님 같아 자꾸만 안고 싶다던 여인네.

은비령 산자락에 '마타리'로 피어 눈 짓무르도록 누굴 기다려 보고 싶고, 꽃빛 절창인 날엔 평양기생 송월이를 꼬드겨 화전놀이 가고 싶다고도 하셨지. 선배님 가슴을 거쳐서 오면 소소한 것 모두가 절묘하게 시로 둔갑했던 것. 그 정갈했던 시심이며 알싸한 다향을 어디에 숨겨두고 가셨는지 정녕 모를 일이다.

> 오대산 산 하나가 산목련 꽃밭입니다/ 어디로 눈을 돌려도 산목련 꽃 사태/ 백옥 살빛에서 화하니 광채가 쏟아져/ 눈이 시립니다// 갑자기 붉은 꽃술에서/ 색色이 풍깁니다/ 눈웃음 살살 꼬리를 칩니다/ 치맛 꼬리 살짝 걷어붙인 꼴이/ 객줏집 오월이 같습니다// 저걸 그냥 확/불길을 끄느라 일행을 놓쳤습니다// 청정한 산 만개한 꽃 속에서도/ 가끔 길을 헛디디는 일을/ 산목련이 내려다보고 측은타 이르는지/ 못 본 체하는 것인지 말이 없습니다//
>
> – 이충희 〈산목련 만개하시다〉에서

오월 어느 해 시인이 만났던 그 산중에선 지금쯤 산 목련이 개화를 서두를 것 같다. 시집을 받고 선배의 청으로 골라 읽었던 시는 오뉴월의 본가를 자주 찾게 했다. '눈웃음 살살 꼬리치는 객줏집 오월이'를 앞마당 서녘에서 만나며 붉은 꽃술에서 풍기는 꽃 자태에 빠져들었던 건 순전히 선배 덕분이 아니었던가.

여한 없는 생애를 살며 천생여자일 수밖에 없던 아낙. 시인의 찻잔이 놓이던 자리, 함께 바라보던 풍경은 늘 그 자리여도 북향으로 누운 임은 간데 없으시다. 믿기지 않는 이별에 영문을 몰라 하는 문우들에게 답해 줄 말이 없어, 때 되면 가는 거라고, 우리 모두 가야할 사람들이고 앞서고 뒤서고는 나름일 뿐이라고 둘러댄다. 소싯적에 짝사랑을 했더라면 이

보다 더한 아픔이었을까 혼자 되묻기도 하면서.

마음을 숨길 줄 몰라 탈이라던 선배였지만 시 아닌 '영이별'을 입 밖에 내기는 무서웠을지도 모를 일이다. 이별도 순리라 여긴다면 고인을 편히 놓아드려야 할까.

봄날이 가고 있다. 고인의 뜰에 난만했던 계절이 앞서 간 주인을 따라 나서나 보다. 꽃 진 가지에 연둣빛이 더해간다. 세상 등지면 절집 마당가에 나무 한 그루로 서고 싶다던 선배님. 지금 어느 산사에서 새순으로 피어날 꿈을 꾸고 있을지도 모른다.

시인이시여!

임의 치마폭에 담겨 세상에 뿌려졌던 시들이 갈피갈피 다시 살아나기를, 임에게 실려 왔던 그 향기 그대로 찬연히 퍼져나가기를, 부디 환한 적멸에 드시어 일천 강의 달로 뜨고 철철이 꽃으로 피어나시기를…. 봄날은 가지만 그리되면 이 아린 심사도 차츰 잦을 것이 아닌가.

『한국수필』 2021. 7.

시인의 하늘 길

이제 유택 앞에서 돌아서야 한다.
고별의 순간 숨죽이던 비애가 오열로 흐른다. 시샘도 유분수지, 비정한 봄은 나라를 온통 혼수상태로 몰아넣더니 고운님마저 채어갔다. 고인이 애타게 기다렸을 이 봄을 허락할 아량쯤은 있어야 했거늘 무슨 변고가 이리도 잔인한가.

"선배님, 이건 반칙입니다. 어이없는 반칙입니다!"
이틀 전의 함박꽃 웃음이 선연한데 하늘 길이라니….

"나는 차이코프스키의 비창이 좋아."
음악의 거장이 교향곡을 무대에 올리고 9일 만에 세상을 떴다고 얘기했던 시인. 이렇게 황망히 떠나리라 짐작이라도 했단 말인가. 무슨 까닭에 음울하기만 하던 봄은 오늘따라 이렇게 눈이 부신지. 바람결은 또 왜 이렇게 부드러운가.

내 학창시절에 찾았던 선배의 신혼 방엔 갓난쟁이가 젖내를 물씬 풍기며 단꿈을 꾸고 있었다. 그때 강보에 싸였던 달덩이 같던 신생아가 어느 새 반백에 이르러 조문객을 맞는다. 고운 엄마를 빼닮은 따님이 가슴을 친다. 그처럼 가고 싶어 했다는 모녀여행의 회한 때문이라니… 정결하던 임은 한 줌 재로 남았는데 하늘은 시리도록 푸르다. 편히 오르시라고 푸른 사다리라도 놓았단 말인가. 그날 꽃 새댁시절의 옥색 치마저고리, 뽀얗게 빛나던 청순 미인이 망극한 슬픔으로 아른거린다.

맑디맑아서 모두가 여남은 해쯤은 아래로 헤아렸던 시인. 이 여인에게서 읽혀지는 해맑음은 속까지 투명하고 깨끗했었다. 유불리有不利를 계산하지 않았고 후진들에 보내는 찬사가 늘 봇물 터지듯 후했다. 궁색을 굳이 티내지 않았고 철지난 입성임에도 성장盛裝으로 돋보일 만큼 고인은 고왔다. 학교와 문단 선배로, 주마다 화음으로 어울리는 자리가 천진한 아이 같더니 이 길이 어디라고 성큼 들어서셨을까. 못다 풀어낸 시혼 어디다 흘려두고 가셨는지. 아리던 봄은 고인의 지순한 시심에 누그러진 건 아닌지.

"나의 시는 다 자란 애벌레가 한 잠 자고 나서 껍질을 벗듯이 낡은 허물을 벗어던지고 새로운 날개옷으로 갈아입는다. 나의 시는 일종의 신들린 나비의 유희라고 생각한다." 언제부터인가 당신의 시 키워드를 이같이 밝히며, "나는 시 앞에서 깊이 고뇌하며 땀 흘리지 않는다." 했고, "끓어 넘치는 감성의 대양을 혼자 헤엄치기도 한다."며 시혼 불사르기에 거침이 없었다. 시문학의 멍석이 깔린 자리라면 정말 신들린 나비처럼 찾아 나섰고 그 에너지로 가슴 설레며 문학의 산맥을 누빈다고 실토했었다. 등단 45년. 시집 열세 권 상재. 열네 번째 시집 준비 중에 온 이 변고를 누가 곧이 믿을까. 뉘도 흉내 내지 못하는 시 열정이었고 행보였으니 신의 가혹한 처사가 기가 막힐 뿐이다.

> 때가 다하여 꽃잎이 떠나고 있다(…) / 정념에 타던 목청이 저만치 사라지고 있다/ 찬란히 빛나던 왕관 거두어들이고/ 화방속 밝히던 촛불도 끄고/ 그 여자 눈물의 생애가 닫히고 있다/ 굽이굽이 숨차게 밟아온 고갯길 벼랑길(…) / 채머리 흐드러지게 풀어헤치고/ 꽃잎이 물처럼 흐르고 있다/ 꽃이 진다/여자의 왕국이 저물고 있다
>
> – 박명자 제4시집 〈낙화〉 중에서

시인의 〈낙화〉를 음미하면 비창 교향곡을 떠올리지 않을 수 없다. 낙화 이후로 섬세했던 서정이 격렬해지기 시작한 것도, '매일 일어서는 나무'라고 스스로 담금질한 것도 신산함을 달래려는 노래였을까. 곤고했을 말년을 이겨내느라 비장해 질 수밖에 없었던 시인에겐 어쩌면 자연스런 발로였는지도 모른다. 시집 열네 권의 표제를 이어놓으면 이 여인의 생애가 서사시 한 편임을 직감한다. 시인을 사랑하는 독자라면 노년의 허한 심중을 읽어내고도 남을 터.

62년 지기의 비보에 암자에서 무상계를 올린 노시인의 마음 앓이가 유독 애절해 보인다. 팔순의 생일날, 예순두 해의 연을 이어온 글벗의 혼을 달래게 될 줄 알았을까. 믿기지 않는 부음에 혼절하다시피 한 시인은 생전에 맘 놓고 뱉어낸 채근이 응어리가 되어 죄인이라 자책한다. 열네 번째 시집을 하필이면 〈아픈 나무〉라 했느냐고. 어제까지 여전하던 사람이 어찌 그럴 수 있느냐고… 함께 청청하던 때의 육필편지를 꺼내들고 남은 자신을 용서하라고 한다. 숙명의 인연에 그럴 테고, 졸지에 하늘 길을 배웅해야 하는 애통함에 스스로를 패자라 여기는지도 모를 일이다.

종일 망자의 슬픔을 함께 한 유족을 태우고 버스가 묘원을 벗어난다. 하늘 길에 오르시어 유택에 드셨다는 메시지를 띄우고 눈을 감는다. 진혼곡 '비창'을 이어폰으로 듣는다. 순간, 시인 선배님이 나직이 등을 떠미신다.

"나 정말 괜찮아요." 언제나 그랬던 것처럼 가시는 날 음성도 포근하시다.

> 순백의 정결하신 임, 이 땅의 여류문단을 섭렵해온 푸른 기개여
> 하늘 오르신 날이 유례없는 쾌청입니다
> 아흔아홉의 손을 가진 4월의 노래처럼
> 꽃잎을 딛고 깨어나는 이슬로 오시고
> 하늘과의 눈부신 해후로 편히 안식에 드소서
> 이젠 낙화가 아니라 청솔공원 철철이 꽃 숲에서 피어나시고
> 풀 바람결에도 생시 그 모습 그 음성으로 오소서
> 이 유혼의 바다에서 외로운 혼들을 임의 시로 어루만지시고
> 밤마다 빛나는 별빛으로 내리소서!

추모시 한 편을 영전에 바치며 귀가를 서두른다.

3.16. 청솔공원에서

『강릉여성문학』 2016

까치발 하늘

이날로 요량해온 과제 수행을 위해 연밥을 쪘다. 내 손으론 처음 시도해보는 먹거리다. 묵혔던 연잎이라 속에 넣을 고명에 공을 들이기로 했다. 오매불망 고운님이듯 연밥 일곱 송이가 선물처럼 왔으니 감동이다. 식성 까다로운 남정네가 별 타박 않는 걸 보면 합격점은 되나 보다. 대충 차려낸 밥상을 근 보름간이나 받아준 보상으로 여길 테지만, 미안하게도 발상은 그게 아니었다. 계절을 건너뛸 즈음이면 벼르던 일 한 가지씩은 꼭 해결해야 하는 게 내 불문율. 올 가을맞이의 작은 이벤트를 겸한 주인공으로 연밥이 낙점되었다.

지난 여름 느닷없이 일 몇 가지를 벌이고 얻은 게 급성 방광염이었다. 주사 한 방에 투약 이틀이면 거뜬했던 몸이 두 차례나 병원행을 치르고도 개운치가 않다. 무슨 중뿔난 여장부랍시고 일에 매달렸으니 피로 증후군인가 하는 그 몹쓸 것이 그냥 지나칠 리가 없다. 이럴 때면 옆에서 지청구가 남발하지만 허튼소리 아님을 알기에 내색도 못한다. 예전의 컨디션으로 돌아온 건 아니지만 솔밭행 힐링이면 말짱해질 수 있을 것 같다.

"오늘 연밥 시식입니다!" 함께 해줄 예의 지인들에게 전갈을 보냈다. 따끈한 연밥과 포도송이를 챙겨 넣는다. 당장 이행하지 않으면 지체 높은 이 녀석들이 몇 날을 냉동실에서 묵어날지 모르기에…. 새벽까지도 잿빛이던 하늘은 다행이도 푸른 속살을 드러내기 시작했다.

가시연 마중을 나가자는 시인의 호출이 온 건 지난해 여름 끝자락이었다. 해마다 한 차례씩은 가시연을 상봉해야 직성이 풀리는 시인 선배. 시가 오시면 받아 적고 아니 오시면 마냥 기다린다고 하였으니 바로 그 시님이 오실 찰나인가 싶을 땐 지체 없이 함께 나서주어야 한다. 잔뜩 기대를 걸었던 가객佳客은 두레 반 같은 치마폭만 펼쳐놓고는 무소식이었다. 귀한 자태로 오시는 가인이시니 쉽게 만나려고 했다간 무례함이 될지도 모를 터.

"지난해엔 그처럼 경사스럽게 오시더니…"

"이 좋은 날 웬 걸음이 이리도 느리실까."

맘먹고 나선 마중길이 아쉽기는 해도 돌아서는 마음은 시가 되고도 남음직하다. 미색으로 뭇 사람들 마음을 훔치던 홍연은 어느새 연밥을 달고 무성하다. 연밭 사이로 난 통로를 지나다 우중충 시들고 있는 연잎 한 움큼을 딴다. 거뭇한 가장자리를 날리고 연밥으로 탄생시켜볼 심산에서다. 그러니까 작년에 만난 그 연잎에다 중대 미션을 걸어버린 셈. 함께 가시연 마중을 갔던 여인네들을 위해 비장의 공물(?)을 바치기로 한 날이니 자못 의미심장할 수밖에 없다.

견과류 장만에 팥까지 삶느라 부산을 떤 연밥이 등에 매달려 따뜻하다. 바다는 간밤에 흘러내린 빗물과 섞이느라 심한 몸부림이다. 그래도 탁류를 거부 않고 품어 안는 너른 가슴이 모든 근심일랑 다 맡기라 한다. 낮게 엎드린 연노랑 해란 무리에 곰솔 해파랑 길이 연이어 화사하다. 비에 촉촉해진 산책로가 발밑에 부드럽고, 걸음도 새털처럼 가볍다.

바닷가 솔밭을 달콤한 꿈길처럼 지나 삐딱하니 창문을 눕힌 동화 속 흡사한 찻집에 든다. 옥상에 오르니 바다와 대관령이 마주 달려와 안긴다. 금싸라기 되어 쏟아지는 초가을 햇살, 곰솔을 스쳐오는 해풍과 비에 씻긴 대기는 투명한 푸름이다. 남빛 '에게 해'로 열린 그리스 어느 해변에서 바라보았던 청량함과 황홀감이다. 청보라에 흰 유화물감으로 출렁이던 바다는 유연한 옥빛으로 섞이며 한결 순해지고 있다. 바다와 하늘은 군청색 곧은 선을 그어놓고 은밀한 랑데부 중. 조촐한 연밥을 놓고도 최고의 성찬이라며 탄성이 연발되는데, 갑자기 시인의 폰에서 노래가 흐른다.

> 행여 지리산에 오시려거든/ 천왕봉 일출을 보러 오시라// 삼대 째 내리 적선한 사람만 볼 수 있으니/ 아무나 오지 마시고/ 노고단 구름바다에 빠지려면/ 원추리 꽃무리에 흑심을 품지 않는 이슬의 눈으로 오시라//

지리산 시인과 뮤지션의 절묘한 만남이 지엄한 교시教示처럼 가슴을 적신다. 무슨 이런 노래와 시가 있었던가! 지리산에 오려거든 아무나 오지 말 것이며, 원추리 꽃무리에 흑심을 품지 말고 이슬의 눈으로 오라 한다. 연잎에 품었던 흑심이 노망난(?) 여인네의 치기가 아니었을까 싶은 순간, 슬며시 부끄럽다. 하지만 견디지 못할 만큼의 후회가 아닌 건 무슨 연유일까. 가시연 만나러 간 아낙에게 꽂혀 연밥으로 오신 인연 때문인지도. 생애 두 번 다시는 없을 가을날이라며 은발 성성한 실버들 지순함을 헤아려 죄를 사하려 함인지도 모를 일이다.

"최후의 처녀림 칠선계곡에는 아무 죄도 없는 나무꾼으로만 오시라!" 음유시인 안치환의 노래가 파랗게 열린 하늘로 날아오른다. 성큼 다가서는 가을에 온갖 시름 내려놓고 심신을 헹구어낸다. 고백성사 뒤에 오는 해탈의 경지이런가.

까치발 하늘이다. 뒤꿈치 들고 선 하늘이 눈이 부시도록 웃고 있다.

한국산문작가협회 이사회 수필집 51선

제2부

살며 고뇌하며

나, 물이라네
등용
연둣빛 오월에
운명애라는 묘약
노는 물이라니요
그는 누워서도 명작을 쓴다
그래, 토렴이지
품이 모자라
스미는 것들
피카소가 그린 현상학

이젠 내 글에도
'사유의 재현'이라는 훈수를 맞아들여야 할까보다.
그렇다고 부질없는 덧칠이나 윤색은 않을 것이며
미세하나마 가슴이 뛰는 대로만 할 것이다.

나, 물이라네

나, 물이라네. 생명의 근원이며, 변신의 귀재, 신비의 표상이라 일컫지. 온갖 생명체가 나로 인해 태동했으니 창조주가 발휘한 기적 중 실로 으뜸이 아닌가. 하고많은 행성 중 이 별에만 베푼 은전恩典이었으니, 지구별에만 허락한 편애 아니냐고 다들 불만일걸세. 태양계 세 번째 초록별에 만물의 영장을 출현시킨 장본인인 내가 생각해도 이 별에 헌신한 공은 날 능가하는 존재가 없지 싶어.

난 멈춰 있을 때는 고요의 상징이지. 한없이 부드럽고 순하여 내 몸이 어디에 담기든 불평 한 마디 않는다네. 높은 곳에서 스스로를 낮출 줄 알고 결코 거스르는 법이 없거든. 어느 곳에서든 순응하고 잘 스며들어 침묵의 선행으로 일관하는 까닭에 반칙 같은 건 꿈도 꿔보지 않았어. 변칙, 불법을 밥 먹듯 하는 인간에게 나의 이치를 깨달아 순리를 행하라는 계시인 줄을 알아야 할 텐데. 안타깝네 그려.

나, 가장 유연하면서도 강한 힘을 지녔다네. 고요의 경지에서 명경수면이 되면 산야는 온통 나르시시즘에 빠져 제 모습에 반해버리곤 하지. 실로 장관壯觀이 아닌가 말일세. 유유자적하다가도 산들바람이 슬쩍 지나면 절로 미소가 지어지거든. 사랑을 품고 사는 사람의 눈에만 띄는, 그 '윤슬' 말이네. 이럴 땐 나도 덩달아 설레고 싶지 뭐야.

그뿐인가. 분신인 초미립자에서 출발하여 아래로, 아래로 흘러내리다 보면 동료를 만나 함께 품고 가는 넉넉함도 지녔어. 도랑물로, 시내로, 강으로 말이야. 그 여정을 이어가며 논밭과 들을 적셔 초록별에 풍요로운 먹거리를 대고 있지 않는가. 해양에 이르면 너른 품이 좋아서 마구 내달리고 싶어. 포말을 흩뿌리며 길길이 뛰어오르다가도 물고기를 키우고 배를 띄워야 할 땐 퍽이나 순해지지. 내 뒤척이는 몸짓이 사람들 가슴을 식혀준다니 그저 흐뭇하기만 하이.

난, 정화수 한 사발에도 어머니의 간절한 비원悲願을 담고 있다네. 열 길 물속은 알아도 한 길 마음속은 모른다지 않는가. 내 성정이 정결하여 신과의 언약식에 등장하는 것도 순정한 맑음 때문이라네. 나 역시 신의 배려로 태어났으니 거룩한 모성의 비책을 모를 리 있겠는가. 생명을 잉태하여 숭고한 과업을 수행해본 공감대 말일세.

상온에서 조용히 머무르길 좋아하지만 춤을 추고 싶을 때가 있어. 한없이, 한없이 가벼워져 하늘로 오르다보면 파란 도화지에다 그림을 그리고 싶은 거야. 그림붓 없이도 잘만 그려내는 내 솜씨에 땅에선 손뼉을 치며 야단들이지. 노랠 부르지 않나, 시를 읊지 않나. 기중 맘에 드는 건 아이들의 그림이고 노래인거야. 아이들을 위한 일이면 난 무엇이든 할 수 있지. 아이들 마음을 닮고 싶어 신명이 나는 거야. 아니 아이들이 날 닮아서 그런가도 모르겠네.

헌데, 선량하기만 한 사람들을 '물탱이'라고 부르는 걸 들은 적이 있지 뭔가. 각박한 세상살이에서 무엇이든 나누고 허용하는 이들을 '물탱이'라 비하하다니 이게 될 말인가. 모질지 못해 용서하는 일도 쉽게 하는 이들을 모욕하는 건 용납할 수가 없네. 인간의 몸통에 담긴 수분이 얼마나 되는지 알고나 하는 소리들인지. 그렇게 따진다면야 인간은 모두 물탱이란 말일세. 나의 존재 가치를 우습게보지 않고서야 어찌 그런 말을 뱉을 수 있는지 한심스럽지 뭔가. 각성들 하시게나. 허튼 소리 함부로 뱉지 말라는 경고 말이네.

혹자들은 세상에서 흔하고 흔한 게 물이 아니냐고 반문할 테지. 내가 기꺼이 모습을 바꿔가며 멀고 먼 순환의 길을 멈추지 않는 건 우주의 질서에 순응하기 위함이라네. 오로지 내 소임에만 충실할 뿐. 고달파도 사명임을 알기에 긍지로 삼는 것인데, 흔하고 흔한 게 물이라는 말, 경을 칠 일이야. 초록별을 부러워하는 뭇 행성의 심정을 헤아린다면 가당키나 한 소린가.

나, 유일무이 지구의 자산이기에 뭇 생명체들에 골고루 베풀고 싶은 맘 간절하이. 낭비벽이 심한 사람을 물 쓰듯 한다고 말한다지. 날 얼마나 하찮게 여겼으면 그런 말들을 할까. 여보게. 물 한 모금 제대로 구하지 못해 신음하는 소리가 들리지 않는가. 그러고 보면 이 반도의 주인들은 물 씀씀이가 너무 헤퍼. '물 부족국가'란 불명예 판정이 내려졌다기에 어안이 벙벙했어. 예상했던 일이었지.

골짜기마다 옥수요, 한 움큼 들이키면 물맛 하나는 기막히다고 축복의 땅이라고들 하지 않았나. '치수'를 내 재물이듯 여겼다면 이 지경에 오진 않았을 터. 이 초록별에 행운을 가져다 준 신의 은총을 안다면, 진실로 안다면, 날 함부로 범하지 말게나. '물 쓰듯 아낀다.'는 말이 나와야 할 판국에 말이네.

언제부턴가 내 임무인 '물의 순환'이 제 구실을 못하게 됐다네. 지구가 걸핏하면 앓아눕거든. 지구 훼손의 주범이 사람이라니 될법한 소린가. 창조주가 분기탱천할 노릇인 게지. 비를 내려주지 않는다는 원망이 하늘을 찔러도 내 동정심만으론 어쩔 수 없는 일이라네. 인간이 자초한 지구 온난화. '맨붕'에 이른 대기가 걸핏하면 정상궤도를 이탈하지 않나, 그 바람에 나도 그만 정신 줄을 놓을 때가 비일비재거든. 태초에 삼라만상을 이롭게 하라는 분부를 받고 지구상에 왔거늘. 가물 땐 물 한 방울 모으기 힘들다가 수마로 지탄받게 될 줄을 어찌 알았을꼬. 난 순환의 법칙에 따를 뿐이네. 인간의 무분별이 저지른 죄과를 내게 전가시키진 말게나. 제발…….

이제 겨울도 끝자락인가보이. 동면에 든 나목에 부지런히 수액을 올려 나도 부지런히 거동에 나서야겠네. 지구별의 찬란한 봄, 아니 그대들을 위해서 말이네. 얘길 들어줘서 고마우이.

『산림문학』 2020. 봄

등용

꿈속에 있을 시간인데 아직 TV 앞이다. 거침없이 뱉는 패널들의 독설이 차디차다. 총리 자리를 두고 보도매체마다 쏟아내는 양태가 극심하다. 무슨 수로 이 극명한 대립을 어루만질 것인가. 만백성의 공복이니 마땅히 잘 가려서 써야 함은 당연하지만, 얽힌 실타래마냥 도무지 풀릴 기미가 없는 대치국면이다. 수차례 공방전을 벌이고도 늘 그 자리다. 정치 논객도 아니고 한창의 혈기도 아니면서 왜 이리 가슴이 후들거리는지 모르겠다. 발가벗겨진 알몸의 주인공은 만신창이가 되고 이를 전하느라 언론은 숨이 턱에 닿는다.

인물을 뽑아서 쓰는 일이 이처럼 힘든 일일 진데 과거제도를 등용의 관문으로 삼았던 선조들은 사람 됨됨이를 어떻게 알아봤단 말인가. 필시 글을 짓거나 경서를 강독하고 무예를 시험받아 등용에 올랐을 터인즉. 절대왕권의 면전에서 진언을 서슴지 않았던 청백리 사상이 이 시대에 눈물겹도록 그립다.

검증의 대상만 해도 그렇다. 비단 나라님 부름에 의한 절차로만 검증의 잣대를 들이댈 일이 아니다. 등용 이후의 투명성 역시 필히 따져야 할 것이다. 소위 '난 사람'이라 칭하는 지도층들. 그네들의 탈속에 감춰진 추한 모습은 입에 담기조차 부끄럽다. 머물러야 할 제 자리를 박차버리고 교실을 뛰쳐나온 선생님, 민생법안 산더미로 쌓아두고 거리에 나앉은 의원님, 추상같아야 할 법 앞에 고장 난 양심의 저울을 놓고 법리 운운하는 법관을 보며 국민은 심란하다. 참말로 나라에 부릴만한 인재가 없는 것인가. 찾아내는 혜안이 모자라는 건가. 모든 게 역사인식의 부족에서 비롯된다고 설파하시는 초당 선생께 메일이라도 띄우면 위안이 될까 싶어서다.

우리 집의 제일 기름진 다락 논이 아버지의 읍의원 선거로 증발돼버린 건 건국 이래 최초로 치러진 지방자치 선거에서였다. 평소에도 일거리를 들고 찾아오는 사람들이 많아 아버진 늘 동분서주했고, 자신을 아끼지 않는 대인으로 통했었다. 이에 성이 차지 않았는지 내 아버진 등용의 길을 택하느라 할아버지 목숨과도 같았던 논을 공명심과 바꾼 것이었다. 선거의 생리를 일찍부터 알게 된 내겐 '선거판'이란 참으로 '몹쓸 짓'이고, 반드시 기피해야 할 첫째 덕목이었다.

선거와 엮일 일이 다시는 없을 줄로 알다가 이태 전 내 집안에서 지역의 일꾼으로 등용에 오르는 대반란이 일어났다. 조부모 슬하에서 대가족을 이루었던 시절, 업고 어르고 손잡고 등교시키던 막내사촌이 국회로 출정한 것. 늘그막에도 신경은 늘 그곳으로 곤두서기 마련이어서 등용을 두고 일어나는 숱한 해프닝을 접할 때마다 시시때때 가시방석이다. 정치

적 논지와 결기가 워낙 강경하여 아무도 길을 막을 수 없었기에 어쭙잖은 모니터링이라도 감당하는 게 도리지 싶어 '정치판'을 흘려버릴 수 없게 됐다.

지역민들 앞에서 '당선자를 머슴꾼으로 바치겠으니 열심히 부리라.'고 친지 대표로 공언했었다. 초심을 잃지 않고 충직한 대의자이길 바라지만, 지역난제 해결에 발바닥이 닳도록 뛰어야 하는 초선 일꾼을 보며 콧등이 시려올 때가 많다. 재력과는 담을 쌓았던 터라 몇 배의 고충을 감내해야 하는 안쓰러움이 앞설 땐 '안사람'을 다그친다. 힘들다는 말, 그건 너희 사전엔 없는 말이라고…. 지역민의 선택이었지만, 이 길에 들어선 이상, 너희가 가야 할 길은 험난하고 곧은길이어야 한다고 말이다.

내친 김에 패널로 초대된 초당 신봉승 선생께 메일을 올린다.

오늘 패널로 초대된 보수 언론인의 거침없는 일갈에 경악하지 않을 수 없습니다. '국가'란 명제 앞에선 아직도 심약한 여인네이기 때문인 걸까요. 언론의 왜곡보도(일부에선 마녀사냥이라고 말합니다)에 의한 여론의 악화 내지는 국민들과 간극을 키워온 국정책임자에 대한 실망의 표출이었는지 몰라도 저 같은 민초에겐 비수가 되어 꽂힙니다.

지난번 보내주신 저서 《위하여》를 읽으며, 선생께선 역사의 행간이 이르는 지엄한 분부를 알아듣고 행하실 거라는 생각을 했습니다. '작가의 말'에서 피력하신, '대한민국 현대사 60년에 무슨 싸울 명분이 있는가. 실제로 겪고 본 세대가 눈이 시퍼렇게 살아 있는데…'라고 하셨 듯이, 역사인식에 우매하기 그지없는 자들이 선생의 호통에 귀 기울이지 못하고 있음이 안타깝습니다. 속좁은 아녀

자 궁리로도 가늠할 수 있는 일이거늘 아예 한 치 앞도 내다보지 못하는, 소위 '깨어있다'고 자처하는 사람들의 치졸함이, 지금의 혼돈과 난국이 슬프기조차 하니 말입니다.

저희 집안에 초선의원이 있어 의정활동을 눈여겨 볼 때가 있습니다. 이 나라 백성으로 귀머거리, 장님 아닌 이상은 누구든 근간의 정치행태에 초연할 수가 없게 된 까닭입니다. 선생의 말씀대로 후보의 자진사퇴를 촉구하는 쪽으로 가닥을 잡은 걸 보며 제 구실 못하는 입법부를 보자니 또한 안달입니다.

모두가 등용의 시행착오에서 오는 여파가 아닌가 싶습니다. 문밖에 벌세워둔 자식이 걱정인 어미마음 같은 거라면 뛰쳐나가 손목이라도 잡아끌면 될 일입니다만, 국정 옹위의 최전선에 나서길 주저하지 않던 보수 저항에다 국론분열의 조짐까지 어떻게 이해해야 할지 제 요량으론 가늠키 어렵습니다. 오리무중 난국이고 혼란스럽습니다.

지금 메일 드리는 순간, 퍼뜩 '등용'이란 주제를 떠올립니다. 그리 마음 내키진 않지만 치열한 선거판을 비집고 들어가 보았던 집안 이력에다 의정활동 한다고 노상 바쁜 초선일꾼을 지근거리서 마주해오는 터에 글감 하나 건진 셈입니다. 부족해도 '등용'을 써볼까 합니다.

청백리 삶을 으뜸으로 삼았던 선비정신이 바로 우리 선조들이 목숨처럼 지켰던 가치였음을 떠올리며 오늘은 여기서 줄이겠습니다.

– 메일 전문 2014. 6. 12.

메일을 끝내며 생각한다. 굳이 '빼어난 사람' 아니라 해도 국민을 윗자리에 놓고 오로지 나라의 앞길만 생각하는 사람이면 되지 않겠느냐고….

벼슬길에 나서는 사람의 자격만 따질 것이 아니라, 너나없이 스스로를 검증하고 자신의 가치를 되물어야 한다고 말이다. 나에게 묻는다. 나는 마땅히 도리를 실행해온 사람이었던가?

『한국신문』 2015. 1.

연둣빛 오월에

오월이 연둣빛으로 흐른다.

이달이 사랑의 계절이어서 즐겁고, 까르르 웃음소리에 행복하다. 가슴 부풀어 내일을 꿈꾸는 아이들. 그들의 날갯짓에 실려 오색풍선이 하늘을 타고 오른다. 오월의 노래, 오월이 품은 '사랑의 묘약'이 연둣빛 희망으로 세상을 물들인다.

오월이 사랑과 감사로 가득 참은 모성이 그렇게 가르치기 때문인 것. 내 것을 나누고 아픔을 보듬는 일. 상처를 아물려 용서할 줄 알게 함도 모성의 힘이 아니겠는가. 풀잎 하나 다칠세라 가만가만 불고 가는 바람, 초록을 품어 향긋해진 산과 들, 새소리 물소리도 노래이고 사랑임에랴.

어버이날을 맞을 때면 탄식을 일삼는 사람들을 목격할 때가 있다. 효도할 부모님이 계시지 않아 후회막급이라는 푸념이다. 그 불효를 이웃사랑으로 바꾸자는 제안에 봉변을 당했던 적이 있다. 사랑을 얘기하지만 돌아서면 그만이다. 나눔이 진실로 값지다는 믿음을 지녔다면 대상을 가려가며 해야 할 일인지. 내 피붙이 아니어도 나누는 일에 결사적인 이들이 얼마나 많은가. 이네들의 초월적인 사랑을 목격하며 함께 땀 흘리진 못해도 온기를 보태는 일엔 함께 나서야 하지 않겠는가.

왜곡된 사랑과 편견에 따뜻해야 할 보금자리가 식어감을 본다. 부모의 터무니없는 과욕에 어깨가 무거워진 아이들은 날개 짓은커녕 걸음조차 걸을 수 없어 비틀거린다. 햇빛과 물만 적당해도 초목이 자라듯 우리 아이들도 능히 그럴 수 있지 않을까. 부모의 몸을 빌려 세상에 왔지만, 사랑도 보호도 감당할 만큼이라야 재목으로 클 수 있음을 어찌 모르는 것인지. 우리 아이들에게 맘껏 꿈꾸게 하고, 선택의 자유를 주는 게 행복해지는 길임을 알아야… 부모의 욕망을 대신하는 아바타로 키울 수는 없는 일이기에 그러하다.

근래에 들어 비정한 사건이 꼬리를 물고 일어난다. 목숨을 나눠준 분신을 주검으로 끌고 가는 참극이 비일비재다. 탯줄도 마르지 않은 갓난쟁이가 쓰레기 더미에 유기되고 부모의 소유물로 전락되기도 한다. 출구가 없다고 여기는 청소년은 수시로 궤도 이탈을 꿈꾸며 사위어간다. 세상에서 가장 따뜻해야 할 '우리 집', 가장 가까워야 할 '우리 가족'이 해체의 나락으로 떨어지는 걸 보자니 절망이고 개탄스럽다. 정말 이대로 보고만 있어야 할 일인지….

사랑의 계절이라 하여 달력에 이름 있는 날들이 빼곡하다. 도처에서 축포를 터뜨리며 법석을 떨지만, 일회성 선심에 그칠 때가 많은 것 같다. 떠들썩한 잔치가 끝나고 나면 다시 외톨이가 되기 십상인 그늘 속 아이들. 뒤에 오는 그네의 상실감이 더 걱정스럽다. 방황하는 아이들을, 영혼의 파멸로 들어서는 아이들을 방관할 수는 없는 일이다. 내 자녀 아니라는 어리석음에서 오는 무관심과 책임 회피는 이 사회의 구성원이기를 포기하는 것과 무엇이 다르랴. 눈 비비고 보면 외진 곳의 생명들에게 내미는 손이 없는 건 아니나, 여기 따뜻한 눈빛이 더해져 같이 손잡을 수 있어야 오월의 사랑이 완성되리라.

같은 시대를 살면서 '우리'란 의미가 소중함을 깨닫는다. 동행이 되는 일, 함께 걸어가는 길이 더딜지는 몰라도 모두가 행복해지는 길임을 깨우쳐야… 이웃들에게 따뜻한 시선을 보내고 먼저 손 내밀어 주는 일, 쉽고 빠르게만 가는 길이 능사가 아니라 진실로 소중한 것은 아주 작은 것에서부터 시작된다는 믿음으로 말이다. 너희가 우리의 미래이고 희망이라 말해 주고 손을 잡아주어야 하리.

화사해진 오월이 이팝꽃 너울에 잠겨 꿈이라도 꾸는 듯하다. 옛 시절, 식솔들 밥그릇에 고봉으로 쌀밥을 담아주고 싶었을 우리네 어머님들. 춘궁기에 때맞춰 피는 이팝꽃으로 허기를 달래며 자식들 배는 골리지 않았을 시린 봄을 생각해본다. 궁핍을 모르고 커가는 내 손주 녀석들에게 이팝나무 꽃을 담아서 띄운다. 이 할미 어린 시절에 늘 먹고 싶었던 '이밥꽃'이라고.

너희가 사는 연둣빛 세상은 부족한 것이 없지만, 좋은 꿈을 꾸면서 건강하게 자라야 한다고. 그래야 너희들 세상이 행복해질 거라는 당부를 곁들여서 말이다.

『아동문학 세상』 2020. 여름

운명애라는 묘약

괴기스럽기 짝이 없는 코로나 악령이 지구촌을 나락으로 몰아넣고 있다. 설상가상 유례없는 물난리에 곳곳이 아비규환의 소용돌이다. 인간이 자초한 죄과라고 하지만 이 초록별에 은전을 베푼 창조주의 노여움이 지나치다 싶다. 연일 이어지는 쇼킹 뉴스들, 우울하다. 채널을 돌려버린다.

휘황한 무대에서 여가수의 열창이 관객을 사로잡고 있다. 오메! 트로트의 신이라 부르는 김연자의 히트곡이다. 눈이 부신 드레스 자락을 펼치며 빙그르 맴을 도는 몽환적 춤사위에 모두가 열광한다. 시쳇말로 '떼창'이라고 했던가. 신명난 떼창이다.

> 산다는 게 다 그런 거지/ 누구나 빈손으로 와/ 소설 같은 한 편의 얘기들을 세상에 뿌리며 살지// 자신에게 실망 하지마/ 모든 걸 잘할 순 없어/ 오늘보다 더 나은 내일이면 돼/인생은 지금이야// 아모르파티/ (…)

가사를 꼼꼼히 짚어보니 사랑꾼들의 파티가 아니라, 니체의 운명관인 그 아모르파티(Amor fati)가 아닌가. 평소 귓전으로만 흘려들었지 노랫말을 따져 본 적이 없었기에 절로 웃음이 나온다. 모든 걸 잘 할 수 없으니 자신에게 실망하지 말라고 한다. 오늘보다 더 나은 내일이면 된다니 얼마나 낙관적인가. 이 노랠 부르며, 들으며 모두 이 환란의 시기가 어서 지나가기만을 간절히 바랄 터인즉.

철학자 니체가 《즐거운 학문》에서 언급한 '운명애'가 있다. 요약하자면 '자신의 운명에 대한 사랑'이다. 그는 인간이 자신의 나약한 운명에서 벗어나려면 삶에서 일어나는 온갖 시련, 고통까지도 받아들여야 하고 그래야만 위대한 존재라고 했다. 이는 인간의 필연적 운명에 대한 체념과 굴복이 아니라 극복의 과정인 동시에 도전이어야 한다는 거다. 고난과 역경에서 벗어나기 위한 적극적인 삶이어야 하며 수동적 순응이 아닌 '나'를 직면하는 것이며 긍정의 힘으로 새로운 가치를 창조해가는 삶이라고 말이다.

고금을 통해 가장 고독한 철학자로 살았던 그는 대대로 목사를 지낸 가정에서 태어났으면서도 신을 부정한 사상가이다. 젊어서부터 극심한 두통으로 고생할 정도로 병약한 몸이었지만 운명에 굴하지 않았고 눈병과 위장병의 고통 속에서도 집필을 멈추는 법이 없었다. 갖은 병고 속에서도 타협을 모르고 비굴하지 않았음은 운명 결정의 주체는 오직 자신뿐이라고 했던 그의 '운명애'가 있었기에 가능했을거란 생각을 하게 된다. 불운했던 운명을 초인적으로 극복할 수 있었던 인간적 사유가 얼마나 절절했을까는 짐작이 가고도 남을 일이다.

니체는 《인간적인 너무나 인간적인》 저서에서, "내 저서는 오직 내가 극복한 것만을 말한다."고 했으며, "나는 모든 글 가운데 피로 쓴 것만을 사랑한다. 피로 써라!"는 경구를 보냈다. 자신의 비운에 노예가 되고 싶지 않았던 치열한 자유정신은 그의 사유가 얼마나 엄격하고 뼈아픈 고뇌였는가를 알게 하는 대목이다. 피할 수 없는 고통도 어떤 면에선 기쁨인 것이며 저주도 하나의 축복이 될 수 있다는 니체의 지론. 고난도 위안이며 축복이라고 설파한 이 현자賢者는 현대인들의 나약한 의지 극복을 위해 '운명애'라는 묘약을 세상에 던졌던 것이 아닐까? 결코 좌절하지 않았기에, 자신의 운명을 긍정하는 사랑이 있었기에 참을 수 없는 고통도 치유될 수 있었음이라 여긴다.

기존의 가치관을 깨뜨리는 데 주저함이 없어 '망치를 든 철학자'로 불렸던 그는 어느 날, 생애의 변곡점에 이르고 만다. 마부에게 채찍을 당하는 말을 끌어안고 오열하다 착란 증세에 빠진 것이다. 그의 고독이 얼마나 처절하고 깊었으면 그 지경에까지 갔을까. 생애의 마지막을 정신 줄을 놓은 채 무려 10년이란 세월을 미망에서 헤맸으니 이보다 가혹한 형벌이 있을까. 집필에 몰두하던 시절엔 하루 한 시간이 천금 같았을 것인데 그에게서 모든 걸 앗아가 버린 주관자(?)가 그가 그토록 부인했던 신이 아니었기를 바랄 뿐이다. 평생을 병마와 씨름하던 철학자는 고난의 행군으로 점철된 생애에 결국 마침표를 찍고 말았다. 새로운 세기가 열리는 1900년, 그의 생애 56세, 여름의 끝자락이었다.

근대와 현대철학의 경계에서 너무나도 곤고困苦했을 니체의 운명! 위대한 철학자이기 전에 인간애 구현을 위한 도전정신으로 삶과 사유가 일치했던 구도자는 인간적인 너무나 인간적인 현인이었음을 누구도 부인하지 못한다. 그처럼 간절했던 루 살로메의 사랑조차 얻을 수 없었던 그의 삶. 순정하기만 했을 외곬의 철학자에게 지워졌던 비애를 생각하면 연민의 정을 금할 수가 없다.

지금, 끝을 모르고 추락하는 지구촌 운명이 세계를 휘청거리게 한다. 니체가 21세기의 철학자로 돌아온다면 혼돈에서 표류하는 오늘의 인류를 향해 어떤 명제를 던질지 궁금하다. 틀림없이 이 악몽의 늪을 떨치고 일어설 용기와 힘을 자신이 주창했던 '운명애'에서 찾으라는 말을 할 것 같다. "나를 죽이지 못하는 고통은 나를 더 강하게 만든다."고 그가 토로했으니 '더 강해지라'는 말로 말이다.

전대미문의 바이러스 창궐에도 니체의 철학을 지적 자산으로 간직할 수 있었던 건, 한국산문 평론반이 원격강의로 임했던 임헌영 교수의 열강熱講, 〈니체의 생애와 사상〉 덕분이었다. 이 시간이면 우린 니체가 말했던 운명애라는 묘약의 힘으로 코비드19를 극복하고자 따뜻한 가슴으로 만나고 교류했다. 북·남미를 비롯한 세계 각처에서 영상으로 만나는 자리는 지척에서보다 몇 곱절 훈훈했고 우린 지적 감성으로 그렇게 더 가까워질 수 있었던 거다.

코로나 팬데믹이라는 요상한 시대에 살지만 우리에겐 '운명애'라는 묘약이 있어 더 깊고 두터워질 것 같다.

『한국산문』 2020. 12.

노는 물이라니요

늦깎이 나이에 '글 동네'에 들어섰다.

안달하지도 조바심 하지도 않을 거며 유유자적하리라 맘먹었었다. 헌데, 관여해오던 일에서 쉽사리 벗어날 수 없는 데다 나이 순서에 따라 돌아오는 업무 때문에 본말이 뒤바뀌고 있다는 생각을 지울 수가 없다. 모처럼 챙겨둔 시간이 예고 없이 끼어드는 일정으로 빗나가기 일쑤여서 결코 조바심하지 않을 거라던 내 속내가 드러나고 만다. 이를 가까이에서 본 한 선배의 말인즉, '노는 물이 달라서 의당 치러야 할 순서'라는 거였다. '노는 물'이라니. 그렇다면 저 좋아서 뛰어든 물이니 잘 헤엄칠 방도를 생각하란 귀띔이었을까?

평생 일터로 알던 교단을 매듭짓고 그래도 노래 하나는 붙들고 살아야 한다는 생각에 비장한 결심으로 합창단을 꾸렸었다. '비온 뒤 맑게 갠 하늘-해밀'이란 우리말 이름을 따 명분도 뚜렷이 내걸었다. 혼신의 힘을 발휘하던 교육사단이라 신의 영역까지는 못 돼도 실버들의 하모니가 점입가경에 이르러 음악적 감성으로 혼연일체가 되는 팀워크 역시 감동적이다. 여기에 가슴끼리 전해지는 에너지가 넘쳐나 노래를 잊은 그늘진 곳을 찾는 일도 마다하지 않는다.

그러기를 여러 해. 성인가요에 탐닉하는 청소년들을 좌시할 수만은 없다는 생각에 정규 활동에 '창작동요 부르기' 명제를 하나 더 얹게 되었다. 정작 즐겨 불러야 할 노래는 뒷전으로 여기는 아이들. 그리 만만찮은 수행인줄 알면서도 병아리 같은 입에서 분명 맑은 노래가 불려 질 거란 확신이었다. 포기할 수 없었다. 요산요수할 나이들에 노래 샘물을 퍼 나르느라 회원들의 노고가 자못 크다. 자화자찬인진 몰라도 우리, 행복한 음악세상을 위해 드맑은 샘터에서 아이들과 함께 노래 부르고자 한다. 선배가 던진 말처럼 어찌 이 맑은 물가川邊를 떠날 수 있으랴.

지금 대한민국을 춤추게 하는 문화예술 정책으로 어버이 세대들의 신바람이 강풍의 세기로 불고 있다. 고매한 경지에 다다라 있는 전문인이든, 범부이든 나름으로 행복지수 구가에 발 벗고 나서는 추세이다. 지난한 삶을 살아왔던 세대에겐 치열하게 산 생애만큼 당연히 누려야 할 보상인지도 모른다. 그 까닭에 공감되는 바도 적지 않아 감성 추구에 삼매경이 되어 있는 곳곳의 현장을 지켜볼 때면 시쳇말로 '좋은 시절'임을 절감하게 된다. 저마다 버킷리스트에 맞춰 가는 모습들에 갈채를 보내면서도, 당장 인고의 삶에서 벗어나는 일이 더 절실한 이웃들에겐 제발 눈살 찌푸리게 하는 양태樣態는 없어야 함을 전제로 하는 말이다.

나 역시도 이 물, 저 물 잘못 드나들다가 물만 묻히고 나와 버리는 꼴이 되지 않을까 조심스럽다. 삼라만상의 다양성만큼 모둠의 개성 또한 존중되어야 한다면, 그게 단순한 여가활동이든 비전을 위한 자기실현이든 함께 어우러진다는 건 아름다운 조화임에 틀림이 없다. 내가 흘러들고 싶어서 만난 물이 분명하다면 대어가 헤엄치는 바다이거나, 아님 피라미 몇 마리가 노는 개울에 지나지 않는다 해도 함께 헤엄칠 운명체가 되는 건 얼마나 가치 있는 일인가. 허니, 흙탕물을 만들지 않으려는 자정의 노력은 필수 덕목이어야 할 거고 고여 있는 물이 아니라 쉼 없이 흘러 더 넉넉한 품을 키우는 일을 누군가가 해야 한다면, 그게 '나일 수도 있다.'는 생각에 이르게 된다.

한 모금 물로도 소중한 생명을 살린다는 믿음으로 고단한 행진을 멈추지 않는 사람들이 있다. 이들이 흘리는 생명수 같은 땀방울 하나하나에서부터 논밭을 적시고 작은 물고기를 키워내는 도랑물, 수심 깊은 큰물이든 손바닥만큼 작은 연못이든 소임은 달라도 지향 가치는 소중할 수밖에 없다고 본다. 이왕이면 청정수에서 한 이웃이 되는 일, 함께 품고가면 서로가 아름답게 물들 수 있을 거란 소망을 지녔으니 기꺼이 감수해야 하리라는 결론을 얻는다.

황혼녘 내게로 와준 글 동네!

글줄 풀어내는 것도 수월치 않은 나이에 동인회 아우르는 일이라니 가당치 않은 역할임이 분명하다. 하지만, 누군가에겐 언 몸을 녹일 수 있는 따뜻한 온천수로, 어느 누군가에겐 발만 담가도 상큼해지는 그런 산골 여울이 될 자격이 내게 있다면, 하늬바람 한 줄기와 어울려 찰방찰방 물장구라도 열심히 쳐볼 일이다. 한참은 멀어서 소폭으로 갈 수밖에 없는 헤엄치기여도 말이다. 너무 뜨겁거나 차가워 발조차 들여놓을 수 없는 물만 아니라면…

그냥 '노는 물'이 아니라 '제대로 살아가는 물'에서 말이다.

『수필문학』 대표수필선집 2015.

그는 누워서도 명작을 쓴다

야스나야 폴랴나 '빛나는 들녘'의 숲길. 그 숲길 가에 덩그마니 앉은 풀 더미 하나! 하늘, 바람, 새소리로 둘러싸였을 뿐. 눈에 띄는 것이라곤 없다. 이 초라한 풀 무덤이 대문호 톨스토이의 유택이라니. 양지바른 곳도 아니고 눈여겨보지 않으면 지나쳐버리기가 십상이 아닌가. 작은 묘비명 하나, 하물며 나무판에 적힌 이름조차도 찾아볼 수가 없다.

말을 타고 달려야만 돌아볼 수 있다는 광대무변의 땅에서 한 평으로 누운 대문호. 유년시절 영감을 살찌우며 그를 대작가로 키운 야스나야 폴랴나 숲은 그의 혼과 110년을 함께 해오며 순례 객을 맞는다. 그는 풀 더미로 누워 말한다. 여기가 내가 소유한 땅의 전부라고….

"그가 차지할 수 있었던 땅은 그것이 전부였다."

이는 톨스토이의 단편, 〈사람에겐 얼마만큼의 땅이 필요할까〉의 마지막 문장이다. 끝 모르는 인간의 욕망을 논할 때 독자들 사이에서 흔히 회자되곤 한다. 웬만큼 농토를 소유했음에도 더 많은 땅을 가지고 싶은 '바흠'이란 농부. 그는 해지기 전까지만 돌아오면 하루 종일 걸은 땅을 모두 주겠다는 촌장의 말에 1천 루블을 걸고 새벽길을 나선다.

가도 가도 비옥하기만 한 땅. 걸음을 빨리 하면서 조금만 더, 더, 하다가 그가 돌아섰을 땐 이미 너무 늦어버린 시간이었다. 죽을 힘을 다해 출발지점에 도착하지만 그는 그 자리서 기절해 죽고 만다. 하인이 머리에서 발끝까지 치수를 재었더니 3아르신(1아르신은 71센티미터 정도). 결국 그가 차지할 수 있었던 땅은 겨우 누울 만큼의 무덤 크기에 지나지 않았다. 인간의 과욕이 무얼 의미하는지 우화에서 말해주었듯 거장 톨스토이는 자신과의 약속을 풀 무덤 하나로 지킨 셈이다.

레프 톨스토이가 예술적 필치로 리얼하게 그려낸 《전쟁과 평화》는 그를 일약 대문호의 자리에 올려놓았다. 세계 문학사적 가치와 위상으로 보더라도 당대 최고봉이었고 부와 명예가 따랐음도 당연한 결과였다. 무려 559명이라는 인물을 등장시켜 6, 7년에 걸쳐서 쓴 이 대하 장편은 영화, 드라마, 오페라 등을 섭렵하는 등, 기네스북에 오를 정도로 최대 걸작으로 석권했다. 그는 목숨을 담보로 크림 전쟁에 참전했고 격전지 답사를 위해 보로지노 전투 생존자를 찾아 먼 길도 마다하지 않았다. 톨스토이는 전쟁의 야만적이고 비인간적인 면을 거침없이 드러내어 역사의 변화를 주도하는 주체는 영웅이 아니라 밑바닥의 삶을 사는 선한 민중들임을 그의 소설로 강변했다.

그랬던 그에게 일대 전환기가 온 건 실로 의외의 일이었다. 《안나카레니나》 집필을 끝내고 50대가 되자 구도자의 삶으로 급선회를 한 것이다. 《전쟁과 평화》 이후 불륜의 사랑을 다루어 세인의 주목을 받은 대문호의 변신은 너무나 뜻밖의 반전이었다.

"행복한 가정은 모두 고만 고만 하지만, 무릇 불행한 가정은 나름 나름으로 불행하다."(문학동네. 《안나카레니나》 1권)로 첫머리를 시작한 걸 보면 톨스토이에게 이미 가정불화가 시작되고 있었음을 예고한다.

그는 자신의 《참회록》에서 "내가 저지르지 않은 죄악은 거의 없다."고 통렬히 뉘우쳤다. 지난날의 허영과 자만심, 부도덕했던 방탕생활을 백일하에 고백하며 스스로를 채찍질했다. 도덕적이고 진실한 사상가로 청교도적 삶을 사는 길만이 속죄라 여겼으며 '어떻게 글을 써야 할 것인가 보다는 어떻게 살아야 할 것인가'에 더 절실히 매달렸다. 오로지 농노 계급을 위한 계몽과 실천만이 자기완성이고 구원이라 여겼기에 노동자, 농민을 위한 글을 쓰는 건 당연한 것이었다. 톨스토이 단편선의 수많은 우화, 민화 대부분이 삶의 참된 의미와 진리 실천을 위한 작품이었음을, 그가 추구했던 궁극의 가치 역시 사랑으로 완성되는 도덕적 삶이었음을 비로소 알게 된다.

거장 톨스토이의 마지막 1년을 담은 《마지막 인생》 'The Last Station'은 톨스토이의 가출과 죽음에 초점을 맞춘 영화이다. 그들 부부가 바라보는 삶은 서로 극명하게 달라 다툼이 잦았다. 안정된 삶을 우선시 하는 아내 소피아에겐 무소유를 주장하며 저작권까지 사회에 환원하겠단 남편의 주장이 용납이 안 되는 일이었다. 부부의 끊임없는 불화와 갈등은 자살소동으로 이어지다가 결국 1910년 10월 28일 새벽, 그는 허름한 차림새로 주치의와 집을 나서고 만다.

"세속적인 삶을 멀리하고 말년을 평화롭게 보내고 싶소. 당신이 내게 한 일들을 내가 용서한 것처럼 내가 당신에게 잘못한 일들을 용서하기 바라오."

열세 명의 자녀를 낳았고 48년을 함께 했던 아내, 남편의 엄청난 분량의 원고를 수차례나 대필하고 수정했던 소피아에게 남긴 마지막 편지는 너무나 가혹했을 것 같다.

세계를 감동으로 몰아넣은 대작가의 가출이 처연하다 못해 이처럼 가혹할 줄이야. 부인의 추적을 피해 은신처를 찾아 헤매던 중, 폐렴을 얻은 그가 찾아든 곳은 작은 시골역의 역장 관사였다. 남편의 위독함을 알고 소피아가 달려왔을 땐 노 거장은 의식을 잃은 뒤였다.

그나마 그녀가 남편의 임종을 가까스로 지킬 수 있었던 건, "이 세상에서 가장 중요한 시간은 현재이고, 가장 중요한 사람은 지금 내가 대하고 있는 사람이며, 가장 중요한 일은 지금 내 곁에 있는 사람에게 최선을 다하는 일"이라고 설파했던 남편의 말이 아니었을까 싶다. 가출 열흘만인 1910년 11월 7일 오전 6시 5분, 거장은 위대한 생애 82년을 마감하게 된다.

이틀 후, 유해는 자신을 대문호로 키운 영지 야스나야 폴랴나 숲에 오로지 목관 하나로 안치되었다. 자신의 유언대로 말이다. 네 살 때 세 형들과 '개미 형제단'을 결성해 푸른 막대기를 꽂으며 장래를 약속했던 바로 그 자리였다. 두 살에 여읜 어머니의 품처럼 포근했던 영지에서 오로지 풀 무덤 하나로 남기를 원했던 위대한 작가! 그는 모두를 마다하고 110년째 영면에 들어있다. 거룩하고 아름답지 아니한가.

무엇 때문에 살아야 하며 어떻게 살아야 하는지, 죽음은 무엇을 의미하는지를 끝없이 고뇌했던 톨스토이는 사랑은 고통도 두려움도 방황도 사라지게 만든다고 입버릇처럼 말했다. 두 갈래 삶의 편력으로 그에 대한 평가가 엇갈릴 때가 있지만 그는 분명 세계적인 문호였고 도덕적인 사상가, 실천가였다.

시사 주간지 뉴스위크지는 '세계 100대 명저' 선정에서 톨스토이의 《전쟁과 평화》가 단연 1위라고 발표했었다. 노벨평화상 후보에 네 번, 노벨문학상 후보에 무려 여섯 차례나 올랐지만, 작가의 이상주의가 불건전하고 급진주의자라는 이유 하나로 노벨상 심사위원회는 그의 수상을 거부했다. 가당키나 한 논리였을까.

그들을 성토할 힘이 내게 있을 리 만무하지만, 레프 니콜라예비치 톨스토이야말로 한 평의 풀 무덤으로 누워 기막힌 명작을 쓰고 있지 않는가? 참배객들은 풀 무덤 앞에서 위대했던 작가가 들려주는 감동의 메시지를 가슴 절절히 들으리라. 그가 세상에 내놓았던 저작들을 훨씬 능가하는 감동으로…….

『한국산문』 2021. 3.

그래, 토렴이지

식은 밥을 토렴한다.

내가 있어야할 자리라니 지체할 수가 없다. 초 간단 메뉴로 점심을 때우고 나설 요량이다. 그리 춥지 않은 날씨라 토렴 서너 번이면 족한 것. 아침밥 한 덩이가 뜨거운 국물에 풀려 목 넘김이 기분 좋다.

노상 하는 식은 아니라도 급한 외출이나 입맛이 신통찮을 때 하는 요기 방식이다. 멸치 육수에 불린 미역 한줌이면 그만이지만, 여기 콩나물이라도 어우러지면 진수성찬이 부럽잖다. 아이들 키울 땐 그놈들 입맛에 맞춰가다가도 가끔씩은 장국 맛을 길들였다. 자칭 미식가인 옆 사람이 끼니를 재촉할 땐 보란 듯이 내는 게 이 소반이기도 한 것.

우리 집 제일 깊은 양은솥에선 늘 연탄 불 위에서 장국이 설설 끓었었다. 학교에서 달음박질해 오면 으레 뜨거운 국에 식은 밥을 말아서 먹었다. 찬밥에 대여섯 번 국을 붓고 따르면 되는 일. 그 시절 신기하게도 엄마의 장국은 질리는 법이 없었다. 동생들한테도 온반溫飯을 차려주며 뿌듯했으니 엄마는 자식들 점심 걱정은 않으셨을 터이다.

큰길이 가까워 길손이나 행상들이 집에 자주 드나들었다. 할머니가 물건들을 훑어보는 사이, 엄만 콩나물국이나 시래기 국에 밥 몇 술씩 말아 내 허기를 달래게 했다. 바디며 채, 키를 한 짐씩 이고 진 사람들은 툇마루서 요기를 하고 돌아가며 곡진한 인사를 했다. 엄마가 받는 인사가 나까지 기쁘게 했던 거다.

막장에 농산물 부산물이 국 건지였던 소박한 한 끼. 이 장국밥으로 알게 모르게 '인심 나는 집'으로 알려진 건 우리 집의 내력이었던 것 같다. 고부가 합작으로 담근 커다란 막장 독이 눈에 띄게 줄면 할머닌 장독을 자주 들여다보며 조바심을 비쳤다. 엄마의 이 일은 멈추는 법이 없었기에 토렴 진미가 이 나이까지 나를 따라온 게 아닌가 싶다.

요즘 들어 채널마다 '먹방' 프로그램이 활개를 치고 있다. 소위 유명 세프 들이 15분이란 조리시간을 두고 별 따기 쇼를 벌이는가 하면, 맛과 메뉴의 고급화를 위해 방송 채널과 요식업계의 이전투구가 상상을 초월할 지경이다. 인간의 가장 절실한 욕구가 먹고사는 일일 진데 먹거리에 초점을 맞춘 방송이며 업체 간의 경쟁을 탓할 수는 없다. 다만 식문화의 진화가 당연하다 여기면서도 석연찮은 사례들엔 고개를 갸우뚱 할 수밖에.

문제는 외식 문화의 범람으로 '엄마의 부엌'이 사라지고 있음이다. 서구의 입맛에 길들여진 신세대들, 심지어는 기성세대들까지 여기에 가세하면서 집밥을 거부하는 해프닝까지 왔다. 이를 시대상황으로만 낙관해야 할 것인지. 이 시대의 미식가들에게 '토렴국밥'을 묻는다면 그건 옛날의 배고프던 시절 얘기가 아니냐고 반문할지도 모를 일이다. 호구지책은 웬만큼 해결되었다지만 사회적, 정신적 빈곤은 역행하고 있는 실정이니 안타깝다.

그뿐인가. 기성세대와 신세대가 서로 삐끗거린다. 이념의 불협화음으로 상처를 내며 깊은 골을 만들어 낸다. 많은 것들을 소유한 계층의 기상천외한 일탈, 도덕성의 부재 또한 분노할 일이다. 국민소득 3만 불로 진입했다지만 미증유의 사건들로 국민정서가 몹시 휘청거린다. 상상조차 힘든 범죄 증가로 사회 불안은 더해만 가는데, 그래도 우린 잘 살고 있다고 말할 수 있을 것인가.

역설적일지는 몰라도 '보릿고개' 시절이 그리울 때가 있다.

식욕이 한창이던 성장기를 자연식, 소식으로 달래면서도 나보다 허기진 사람들을 위해 내 몫을 양보하고 나눌 줄을 알았다. 함께 아파하고 웃을 수 있었기에 그 시절 토렴국밥이 더 눈물겨웠는지도 모를 일이다. 한겨울 막노동 공사판과 눈 내리는 거리에서 노숙자, 걸인이 아니어도 모두에게 너무나도 따뜻한 위안이었던 한 끼. 그것이 구원의 사랑이었음을 아는 세대들은 그나마 행복이었을지도 모를 일. 그게 콩나물 국밥이어도 좋았고 시래기 장국이어도 좋았으니 말이다.

이제 우리에게 절실해지는 건 사회적, 정서적 토렴이 아닌가 싶다. 지금 이 시대를 살아가는 우리야 말로 '사회적인 토렴'을 가슴으로, 몸으로 실천할 때임을 안다. 가난의 구제는 부자가 가장 잘 할 수 있을지 몰라도 계층 간의 소통과 화해는 행복한 사회를 꿈꾸는 이 나라 사람이라면 누구든 나설 수 있는 일인 것. 소외된 이들에게 보내는 따뜻한 시선, 먼저 건네는 따뜻한 말 한마디, 손 한 번 더 잡아 주며 등 토닥여 주는 가슴이 토렴 사회로 가는 길임을 안다면 행하는 사람이 더 행복해지는 일이 아닐까.

소통은 마주하는 두 편이 같이 문을 열어야 쉬우리라.

닫친 문을 열려면 남모르는 수고와 열정이 뒤따라야 함도 필수이다. 시린 마음을 안고 살아가는 이웃들에게 따뜻한 시선을 보내는 일. 반목, 질시를 멈추고 어른 아이 함께 걸으며 기쁨의 눈물을 흘릴 수 있다면 오죽이나 좋을까. 배고팠던 시절, 우린 펄펄 끓는 국밥으로 온정을 피워냈다는 말을 들려주며 말이다.

오늘 함께 자리할 이들에게 해줄 수 있는 말을 생각하며 외출을 서두른다. 가슴을 열고 헝클어진 마음들을 뜨겁게 토렴하리라. 구수한 장칼국수로….

『한국문학인』 2019. 9.

품이 모자라

옷장에서 여러 해를 묵던 봄옷 한 벌이 솜씨 야문 재봉사 덕에 티 안 나게 둔갑했다. 그녀의 신통한 눈썰미와 한 땀 한 땀 공들이는 정성 아니곤 어림없는 일이지 싶다. 옷을 줄이는 것도 수월찮거늘 굳이 까다로운 주문을 곁들여 늘이기로 했으니 궁상이기는 하다. 느닷없이 객기가 발동한 건 한창시절 고운 색깔 하나에 꽂혀 화창한 봄날이면 제일 먼저 손이 갔던 탓이다. 봄 채비로 묵은 옷 하나 건졌을 뿐인데도 이리 설렐 줄이야. 귀찮은 내색 않고 고분고분 들어준 맘 씀씀이가 고마워서라도 더 아껴야 할 것 같다.

몸이 실했던 언니에겐 넉넉하니 입히면서도 내 옷은 늘 품에 맞춰 입혔던 어머니셨기에 여태껏 몸에 맞는 차림새를 고수해왔었다. 어쭙잖은 일을 벌이고 행복하다 함은 마음의 품이 푼푼해진 까닭인지도 모른다. 아님 나이만큼 느슨해진 탓인지도….

이 나이에 옷 타령이 가당키나 할까만 품을 늘인 매무새가 예전만큼

옷 태가 날 리 없고, 내 자식들이 늘그막에 웬 궁상이냐고 타박할지도 모를 일이다. 그래도 사람 외양이야 허울일 뿐이라는 어미 말에 수긍할 테고, 제 새끼들 입성 역시 명품이니 뭐니 연연하지 않는 걸 보면 묵을수록 진국이라는 말을 저들도 알 나이들이지 싶다.

패기 넘치던 시절 내 날개가 되어 주었다가 노을 녘에 든 아낙을 품어 다시 내 옷이 되어준 감격에 가슴이 벌렁거린다. 까짓 퍼진 몸이면 어떠랴. 내게 옷맵시 따윈 이미 멀어진 얘기다. 희한하게도 돌아오는 걸음이 가볍다. 내친 김에 옷장 정리나 제대로 해야겠다.

몇 차례 의류를 정리해오긴 했지만, 큰맘 먹고 나서니 처분 쪽으로 분리되는 가짓수가 예상을 넘는다. 언제든 입을 날이 있으려니 싶어 하나하나 깔끔하게 모셔둔 터라 가솔 떠나보내듯 애틋한 맘이다. 하지만 수선은 이번으로 족할 터인즉, 내 옷이 몸에 맞는 새 주인을 찾아가기만 한다면 더할 나위 없이 좋은 일일 게다. 숨 한 번 크게 몰아쉬고 옷 갈피에 넣을 사연을 꼼꼼하게 적는다. 분홍 색지에다 이심전심의 전단지를… 경건한 이별 의식이라도 치루 듯, 고운 딸자식 분 발라서 시집보내는 부모 심정이듯 콧등이 찡하다. 다만 누군가가 이 보퉁이를 서푼어치 거래로 넘기는 일이 없기만을 바랄 뿐. 보자기에 세 몫으로 나누어 싸고 또 몇 자 적는다.

"소중하게 마련한 옷입니다. 아무렇게나 천덕꾸러기로 굴러다니지 않기를 소망합니다." 진하게 큰 글씨로….

듬성해진 옷장 안을 훑어본다. 나와 남은 세월을 동행해줄 옷가지들이 주인장에게 위로의 말을 건네고 있다. 버린 만큼 채워지고 나눈 만큼 행복해지는 거라고. 맞는 옷 들춰내느라 걸리는 시간만 해도 만만치 않았으니, 그때마다 공연히 심란했던 걸 생각하면 얼마나 잘한 일인가.

수거함에 넣으면 증발이 될까 싶어 보낼 곳에 연락을 하고 차를 준비하는데, 비정한 사건 사고가 격앙된 어조로 보도된다. 만물의 영장이라 자처하는 사람들 패륜 행각이 침울한 겨울을 무자비하게 흔들고 있다. 자식 부양을 포기하고 가녀린 목숨들을 무참히 쓸어가는 핏발선 모정이며, 언제 이 세상 사람이기라도 했냐는 듯 순식간에 삶을 접고 간 세 모녀의 비보가 가슴을 친다. 세상은 때늦은 후회를 토해내며 열을 올리고, 이때다 싶어 뭇 사람들의 설왕설래가 난무하지만, 사람의 품이 이것 밖에 안 되는 걸 누굴 탓하랴. 우리 모두 방관자가 아니었던가.

목회자의 베이비박스에 갓난쟁이를 놓고 가는 비릿한 모정들은 그나마 제 자식 목숨 훌쳐가는 비정함보단 나은 일인지도. 자식을 품어야 할 어미가 세상의 구석으로 숨었으니, 대신 품어줄 뱁새 둥지라도 있다는 걸 다행이라 여겨야 함이 쓰디쓰다. 남의 알인 줄도 모르고 품는 뱁새의 날갯죽지가 뻐꾸기의 그것보다 크기 때문은 결코 아닐 것인데….

세상의 품이, 우리 이웃의 품이 뱁새의 작은 둥지만큼도 못하다 하면 궤변이랄지 몰라도 그래도 나은 삶을 산다고 자처해온 나. 어쩌다 보리심이 발동하여 한두 구좌 걸어놓곤 그걸로 소임 다 한 걸로 자만해왔었다. 오늘도 작아진 옷가지로 생색내려 했던 건 아닌지. 나이를 보탤 때마다 흐르는 세월 조바심하면서도 초췌해 가는 삶을 채우는 데는 옹색했던 속 좁음이 들킨 것 같아 부끄럽다.

옷 품 늘여서 입었다고 내가 생각하고 해야 할 일이 무엇이 크게 달라질까만, 내 안에 작은 온기라도 있을 때 품어야 서로가 따뜻해질 수 있을 거란 생각에 이르니 '작은 것도 이웃과 나누라'시던 조부님 음성이 생시처럼 나긋하시다.

이 꽃샘추위가 가고 나면 생명을 잉태한 봄은 그 넉넉한 품을 열어 화사한 향연을 벌일 게다. 만물의 영장이라면 이젠 우리도 닫힌 가슴을 활짝 열어야 하지 않을까. 아무리 하찮다 싶어도 내 분수만큼, 펼칠 수 있는 날갯죽지만큼이라도 품고 나눈다면 오는 봄은 더 따뜻해질 수 있을 게다.

내 남루해진 모습 더 사위기 전에, 고쳐놓은 봄옷 꺼내 입고 살아있음을, 모두 사랑하고 싶음을 노래하리라. 작은 깃털 하나라도 보태어 서러운 것 모두를 품어내자고….

『한국산문』 2014. 6.

스미는 것들

기제사에 올릴 메를 짓는다. 밥물을 잦혀 서서히 뜸을 들인다. 눋지 않게 하려면 불 조절도 조심스럽다. 며늘아기가 옆에서 한 마디 거들고 싶은 눈치다. 분주한 날에 전기솥이면 쉬울 걸 굳이 솥 밥으로 짓느냐고. 늘 바쁘단 말을 흘리는 제 시어미의 속을 헤아릴 턱이 없다. 그래도 그 참견이 밉지가 않다.

밥물이 넘쳐흘러도 안 되었고 메가 다 지어지기까지는 곁을 떠나지 않으셨던 어머님. "젤 중한 것이 조상님께 올리는 메란다." 늘 하시던 말씀. 열일곱 꽃띠에 시집온 이래 시어른들 진지 상을 차리던 그 마음으로 하는 거라고 하셨다. 그야말로 신의 한 수였던 어머님의 밥 짓기는 그분의 시간과 정성으로 버무리는 기다림이었고 작은 의식이었는지도 모른다.

도맡아하시던 4대 봉제사를 합제로 묶어주고 가셨으니 서투르기만 하던 며느리가 메 짓기 하나만은 온전히 붙들고 온 셈이다. 요즘 같은 세상에 밥 짓는 일이 뭐가 대수일까만, 밥물이 잦아들어 밥알에 잘 스며들기를 기다리며 '스밈'의 철학을 생각해보곤 한다. 편의주의에 속도로만 경쟁하는 세상에서 '스밈'이란 '천천히 물드는 아름다움', '숭고한 일치'라고 믿고 싶기에 그러하다.

봄비가 땅을 적신다. 촉촉이, 촉촉이 적신다. 겨울잠에 든 뭇 생명을 깨우러 오는 봄의 전령사가 꽁꽁 닫힌 문을 두드려주면, 여기저기 곤한 잠에서 깨어나는 봄의 소리가 들린다. 그 기쁨의 환성에 봄비는 기상나팔수가 되어 신바람이 난다. 뿌리를 타고 올라 잎을 피우고 톡톡 꽃망울이 터지는 경이로움. 움츠렸던 세상은 환한 얼굴로 연신 웃음보를 터뜨린다. 경건한 신의 부름에 따라 약속이듯 노랑이 연두로, 다시 초록으로 바뀌면 아이들의 노래가 하늘을 타고 오른다. '봄비의 스밈'이 사랑의 충만함임을, 신의 축복임을 모두가 깨닫는다.

서로에게 잘 물들어 더 따뜻해지고 부드러워지는 모습은 바라보기만 해도 기쁨이고 위안이 될 수 있을 것 같다. 살아가면서 자연스레 깃들게 되는 좋은 습관과 신념은 스스로 참아내고 기다려주는 끈기로 얻게 되는 전리품 같은 게 아닐는지. 서로 다른 남남이 보폭을 맞추어가는 걸음. 느리더라도 함께 걷는다는 의미는 화합이고 관용이며 따뜻한 포옹인 까닭이다. 뭉근히 스며들어 진국으로 우러나는 우정과 사랑이야말로 '스밈의 미학'이 아닐는지.

얼마 전, 빛을 내던 작은 별 하나가 일순에 어둠 속으로 숨어버렸다. 하루가 멀다 하고 일어나는 불상사에 아연하기만 할 뿐. 무섭게만 느껴지는 군중 속을 헤치고 들어갈 용기가 없었던 걸까. 몸 둘 바를 몰라 고

립무원을 헤매며 바랬던 건, 환호와 갈채가 아니라 그냥 바라봐 주기만 해도 좋았을 시선이었을 게다. 일말의 책임이, 남아있는 우리들 몫이라고 말할 수 있는 사람이 얼마나 될지. 활짝 피어나지도 못한 채 송이 째 꺾여버린 가여운 영혼들에게 하늘의 별이 되라고, 빛이 되라고 간절한 기도를 바치고 싶다.

난세의 물살에 휘말려 정신을 차리지 못했던 사람들도 있지 않았던가. 먼지까지 탈탈 털리는 바람에 그들이 과연 누구인지 알아볼 수 없을 만큼 생소하기도 했었다. 숨겨진 꼬리가 난도질당하는가 하면 오명을 벗지 못해 음지로 밀려나 있는 후일담이 서글픔을 부추긴다. 그 많은 영혼들은 어디로 가 스밀 수 있었는지. 제 한 몸을 가눌 수 없어 탁류에 휩쓸려버린 그들의 뒷모습이 처연하다. 아름다운 스밈은 투명한 맑음이며 순정한 넋임을 알았더라면 얼마나 좋았을까 싶다.

'스밈'은 뜻을 같이 한다는 의미이기도 하여 결코 외롭지 않음을 알게 한다. 무엇으로 보나 세인의 이목을 끌었을 성직자가 험난한 대륙에 성자로 스며들었었다. 검은 대륙에서도 오지 중의 오지. 문명의 흔적이라곤 찾을 수 없었던 험지에서 그들 속으로 들어가 똑같은 그들이 되었고 똑같은 식사를 하고 같이 울고 같이 웃었다. 자신의 뼈와 살을 녹인 땅에서 목숨을 다하고 그들 곁에서 영면에 들었지만 외롭지 않을 것이다. 사랑이란, 나눔이란, 스미지 않고는 못 배기는 마술 같은 것임을 그네들은 알테니까. 땀과 눈물로 적신 거룩한 희생이 병마와 기아를 이겨낸 구원의 빛이었음을 그들은 기억할 것이기 때문이다.

지난해 유명을 달리하신 박변호사님이 그려진다. 영육이 다할 때까지

순한 사람들 편에 서셨던 분. 철저한 자기 견제로 엄혹한 법리 속에서도 뭇 사람을 온화함으로 평정하셨다. 모난 데를 둥글려 허물을 덮었고 병고를 견디면서도 의연하시더니, 가시고 난 뒤의 여운이 짙은 향기로 스몄다. 온정어린 변론을 설파하시던 곳곳에 배인 훈훈한 그리움. 결코 외롭지 않았던 사람들은 오래도록 그리움을 이어갈 것임을 안다.

이 가을, 예향에서 그려내는 가을 서정에 물들어 예술혼과 접목 중이다. 세계적인 아티스트들 덕에 넘치는 호사를 누리며 예술의 바다에 흠뻑 빠져본다. 주체할 수 없는 희열에 함께 환희의 파도를 타다보면, 절묘한 선율에 취하고, 화폭에 빨려들어 이 나이에도 나비가 되고 꽃이 된다. 이 기막힌 예술의 향유에 지난 폭염도, 고단했던 기억도 추억으로 남을 것 같다. 이른바 예술에의 스밈이라 일컬어도 좋을법한 은은한 추억으로 말이다.

'잘 스며듦'이란 분명 가치 있고 아름다운 덕목이다. 밥을 지으며 기다림을 배우고, 촉촉한 봄비가 세상을 눈뜨게 하는 축복이며, 서로 따뜻하게 물들어가는 것이 행복해지는 비결임을. 그리고 이 세상을 살다 갈 때는 아름답게 향기로 스며들자는 약속임을 알게 한다.

우리 기꺼이 함께 젖고 감격할 수 있어야 뜨거운 포옹을 나눌 수 있지 않을까.

『한국수필』 2019. 12.

피카소가 그린 현상학

초상화 한 폭이 뇌리에서 바짝 긴장한다.

간밤, 책과 인터넷을 들락거리며 생긴 후유증이거나 조바심 때문일 터. 오늘의 강독회에 피카소가 그린 〈칸바일러의 초상〉이 초대된 것이다. 입체주의 화가의 작품이 20세기 유럽의 지성계를 지배했다는 '현상학' 사조에 어떻게 연계, 이해되는지를 설명할 수 있어야 하는 것. 난해한 분야의 사상이라 서투른 대로 변죽이라도 울려야 한다. 어떤 인물을 대상으로 그렸는지 도무지 알 수 없는 초상화가 철학의 장에 오시다니! 이 문턱을 드나들게 된 아낙의 황망한 몸짓일 수밖에 없다.

학구열들이 대단함에도 난공불락의 분야다 보니 긴장감들이 역력했다. 예술 작품을 매개로 현대 철학에 쉽게 접근하자는 의도에서 채택된 도서가 《박영욱. 보고 듣고 만지는 현대사상. 2015.》이다. 예술 이미지라는 징검다리를 놓아 힘겨운 철학의 문턱을 넘어보자는 것이 목표였다고 할까. 나이순으로 돌아온 과제가 〈보이는 대로 받아들이지 않고 의식을 현상하다〉, 일명 〈후설과 피카소〉이다.

첫 시간의 '뭉크의 절규'가 나올 뻔 했다는 생각이 들 정도로 난제인데다 비켜갈 수도 없는 일이어서 녹슬고 있는 두뇌 가동에 적잖이 안간힘을 써야했다. 일생일대의 중대 미션을 앞둔 기분이랄까. 한 지붕 밑의 남정네마저 웬 생뚱맞은 짓이냐며 나이를 들먹인다. 속내까지 알아달라기엔 구차한 주문 같아 씩씩한 척은 해도 한창 때의 결기에 비기겠는가. 철학의 대가들이나 입에 올리는 정도였으니 철옹성의 도전이나 진배없다. 어쨌거나 객기로 걸음을 뗀 일이니 해볼 참이었던 거다.

피카소의 그림들이 괴기스러울 만큼 해학적이고 독창적인 것은 이미 상식으로 통한다. 그의 자화상을 보고 '조현병 환자의 그림' 같다고 말하는 이들이 있을 만큼 충격적인 것도 사실이다. 이에 반해 〈칸바일러의 초상〉은 복잡 미묘한 다면체 구성과 주조를 이루는 차가운 회갈색 등, 전통 기법을 무시한 명암임에도 경건하고 지적인 분위기가 화폭 전체에서 감지된다. 여전히 주인공 식별은 어렵지만 그가 말년에 그렸던 자신의 자화상과는 달리 섬뜩한 느낌은 어느 구석에서도 발견되지 않는다.

피카소와 동시대를 살아가며 20세기 유럽 미술계에 가장 큰 영향력을 가졌던 화상畫商이었고 미술평론가였던 칸바일러(1884~1979). 그는 피카소가 그려준 자신의 초상화에 만족하여 자신을 가장 잘 표현해낸 "현상학적 그림"이라며 극찬했다는 거다.

저자 박영욱 교수 역시, "피카소의 그림은 대상이 아니라, 그 대상을 보는 방식을 화면에 펼쳤다는 절대적 옹호가 있었기에 피카소의 명성이 가능하다"고 말한다. 내 어쭙잖은 안목이기는 해도, 지성과 식견을 갖춘

화상이었기에 그렇게 표현하지 않았을까. 당시 유럽 미술계가 이 초상화에 거센 비난을 쏟아 부었음에도 말이다.

"우리가 감각하거나 인지하는 모든 것의 열쇠는 바로 우리의 의식 안에 있다는 데에서 출발한다."는 현상학. 후설은 우리들 눈에 나타나 보이는 모든 현상은 "주체가 외부의 대상을 의식하는 지향성에 따라 좌우되며, 이 지향성이 바로 의식을 좌우하는 관건"이라고 설파한다. 비상한 관심을 집중시킬 만큼 도발적이었던 희대의 화가는 칸바일러라는 대상을 단편적 시점이 아니라 무수히 많은 관점으로 분해하고 묘사함으로써 현상학 사상을 회화로 재현했다는 점에서 분명해 진다. 이는 피카소가 모델에 대해 지녔던 생각을 "자유 변경"이라는 형식을 통해 가장 창의적인 방식으로 표현했다는 얘기인 동시에 '현상학'을 가장 절묘하게 설명해주는 '현상학적 예술품'으로 적격이라는 말로 대변된다.

에드문트 후설(Edmund Hussrl, 1859~1938)이 주창한 '현상학'이 감당하기엔 너무나 방대한 범주였기에 접근 자체가 언감생심이었음을 고백한다. 비록 수박 겉핥기식이긴 했지만 생경스럽던 '현상학' 언저리에서 조금은 고개를 끄덕일 수 있었던 건 피카소의 요상한(?) 예술혼 덕분이 아니었던가싶다.

편협한 틀에서 벗어나 독창적 세계를 자유로이 넘나들었던 그. 창의적 모험을 향해 현실에 안주하지 않았던 피카소의 위대한 작품세계에서 "대상의 재현이 아니라 대상의 형식을 재현해야 한다."는 현상학의 요지를 새겨듣고자 한다. 내 글쓰기에 "자유 변경"이라는 핸들을 작동시켜 과감

하지만 경거망동 않고 도전해야겠단 결론을 내린 것도 이 순간이었으니.

어설프기 짝이 없는 현상학의 입문이었지만, 내게 중요했던 건 논리의 이해가 아니라 다가서고 싶었던 가슴이었는지 모른다. 지금은 뜨겁거나 고동치는 가슴도 아니고, 불속이라도 뛰어들 수 있었던 결기도 무디어졌음을 안다. 철학 강독회에 나선 것도 헐거워진 심신을 조여 볼 심산이었으니까.

이 나이에 오면서 사물을 제대로 볼 줄 아는 눈이 내게 있었는지 모를 일이다. 혹여 보고 싶은 것만 보아오거나 뒤틀린 시선으로 보려하지는 않았는지. 생각하고 느끼는 만큼 볼 수 있고, 의식이라는 그릇에 담긴 분량만큼만 볼 수 있는 것이라면 제대로 보는 눈을 지녀야 하리. 내 방식으로 재현해내는 안목과 가슴으로 더더욱 견고해지는 일 말이다.

"뒤죽박죽인 세상에 내가 왜 이치에 맞는 그림을 그려야 하냐."고 피카소가 그랬던 것처럼 이젠 내 글에도 '사유의 재현'이라는 훈수를 맞아들여야 할까보다. 그렇다고 부질없는 덧칠이나 윤색은 않을 것이며 미세하나마 가슴이 뛰는 대로만 할 것이다. 뮤지션, 아티스트의 심미안이 선율로, 그림으로 되살아나듯 이만큼에서도 잘 익어 떨어져야 하겠기에….

『한국산문』 2020. 7.

제3부

때로는 굽이치다가

글쟁이들 대장간
내 나이 즈음의 유월
두 번째의 고별
산하, 요동치다
금쪽이
그 감격, I Have A Dream!
다시, 4월
초임지
에미야
봄이 멀지 않습니다

이 시린 세월,

좋아라고 감성 대장간을 드나들고 있으니

행복한 글쟁이라고나 할까.

내 영혼의 빛나는 다비식을 위해 사력을 다할까 보다.

글쟁이들 대장간

풀무질에 쇳덩이가 익어간다.

벌겋게 달궈진 쇠가 모루에 놓이자 드디어 시작되는 메질. 세상의 어떤 소리보다 리드미컬한 연주다. 앞 메 옆 메가 번갈아 치고 때리면 엿가락처럼 휘었다가 늘어난다. 대장장이가 집게로 잡아주는 방향에 따라 대충 매무새가 잡히다가 불 속에 들고 나기를 수십 차례. 두드리고 펴고 다듬기는 또 몇 번이던가. 찬물 담금질을 수없이 거쳐야만 온전한 모습으로 탈바꿈 한다. 시우쇠 한 도막이 명품 연장으로 탄생되는 순간이 감격스럽지 않은가.

글 대장간이 차려졌다. 글쟁이들이 차린 온라인 대장간이다. 문이 열리기 무섭게 단숨에 좌정하는 장인들! 이레 만에 지척에서, 수천수만 리에서 눈결에 달려와 문전성시를 이룬다. 그야말로 인간의 IT 두뇌는 찬사 받아 마땅하지 않은가. 숨쉬기조차 힘들다고 지구촌 곳곳에서 아우성이지만 글을 벼리는 이 대장간은 연중무휴에 신명이 넘치는 명소가 되었으니 말이다.

수인사가 오가면 드디어 펼쳐지는 인문학 바다. 좌장이 빗장을 풀면 좌중은 멘토가 이끄는 대양으로 빠져들어 원 없는 유영이 시작된다. 이는 깊이를 가늠키 어려운 지성의 보고요, 해원을 거침없이 누비는 극치의 춤사위라 이른다. 우아한 왈츠를 추다가 격랑을 일으키고, 때론 용오름으로 솟아올라 형언키 어려운 신비경으로 몰아간다. 뛰는 가슴을 진정시키며 감동을 쟁여 넣는 글쟁이들! 한국산문 심장부에 철철 마중물이 넘쳐나 글 대장간은 감격으로 출렁인다. 봇물처럼 터지는 지성의 샘물을 마시고 글밭이 이랑마다 옹골지고 풍성해지는 까닭이다.

초고가 합평자리에 놓이면 화자話者가 의미심장하게 운을 뗀다. 무엇을 만들고 싶었는지를… 필자의 글에 풀무질이 시작되고 또닥또닥 글을 벼리는 메질이 교차하며 글 대장간이 본격 가동된다. 글감에 주제가 잘 버무려졌는지 긴장과 안도감 속으로 진입하다보면 냉기가 돌다가도 금세 따뜻해지는 자리. 내밀한 곳에까지 갈아엎어야 하는 글 쟁기질이기에 글 행간에 스민 숨결 하나도 놓칠 수가 없다. 어쩌다 불협화음이 섞일 때가 있지만 수장에 의해 아름다운 화음으로 평정되는 찰나는 유독 감동스럽다. 이게 글 대장간의 묘미인 것을….

모두들 내로라는 문사가 아니던가. 조용한 출발을 보이다가 광폭 행진으로 질주하는 주인공이 있는가 하면, 질박한 소재를 진국으로 우려내는 감성 장인, 예리한 섬광을 발하며 매너리즘에 따끔하게 침을 놓는 생기발랄 묘수도 등장한다. 공인된 반열의 작품엔 글 대장간 멘토의 명쾌한 오케이 사인! 어쩌다 글감과 주제가 어긋나게 되면 강한 펀치를 견뎌낼

용기와 강심장을 지녀야 한다.

불과 쇠를 다루는 단조鍛造 공정에 노련과 정교함이 필수이듯 글 역시 대충일 수는 없다. 때리고 두드릴수록 단단해지는 대장간 법칙처럼 글이 단박에 찍어내는 주물이 아니기에 그러하다. 하여 딴청을 부리거나 방심이라도 하였다간 정체불명의 짝퉁이 되기 십상인 것. 날렵한 호미 한 자루를 벼리려다 엉뚱하게도 아무짝에도 못 쓰는 폐기물이 나오고 마는 격이다. 노를 저어 바다로 나가야 할 주인공이 배를 산으로 몰고 갔으니 이 낭패를 어찌할꼬.

합평의 대상이 돼보면 뜨거운 불길을 감당키 어려울 때가 여러 번이다. 어디든 숨고 싶을 만큼 부끄럽고 서럽기도 하다. 벌로 주는 매질이 아니라 대장간의 메질이라 해도 당찬 결기 없이는 공연히 자괴감만 키울 뿐이다. 자존심 따윈 멀찌감치 팽개쳐버려야 스스로도 편안해짐을 알아간다. 풀무질로 달궈진 쇠가 제대로 담금질을 거쳐야만 연장이 됨을 아는 터에 해머 수준의 메질과 호된 담금질을 기꺼이 받겠다는 뚝심이 그래서 필요하다. 글 한 편 한 편이 고뇌의 시간을 거쳐 독자를 만나는 순간이 엄숙함을 알게 되는 이치라고 할까. 수차례 담금질을 거친 글이 세상에 나가기 위한 수고쯤은 가슴으로 글을 빚는 글쟁이이기에 당연히 감수해야 할 과정이며 길인지도 모른다.

글 대장간에서 구경꾼으로 일관하리라 작정하고도 종종 탄사를 발할 때가 있다. 가슴 아린 화자에게 꽂힐 땐 주체하기 어려운 눈물이, 가슴 한쪽이 아려와 주인공에게 매료되기도 한다. 세계의 이목이 집중되는 미주에서 촌음을 다투어 답지하는 현장감 생생한 글을 놓고 세계를 함께 숨 쉬며 아파하기도 한다. 생소하기만 했던 합평반이란 둥지. 객꾼으로만 있을 수 없어 이 시간이 기다려짐은 부끄럽지 않는 글쟁이로 태어나고픈 모두의 소망 때문이 아닐는지.

누군가가 글쓰기를 작가 자신이 지핀 불에 영혼을 태우는 다비식이라고 했다. 불구덩이에서 달궈진 쇠가 대장장이 손에서 명기名器로 태어나듯 글을 쓰는 사람에게도 혼을 불사르는 고뇌가 뒤따라야만 명작이 나옴을 알 터이다.

사내아이도 아니면서 시뻘건 쇳덩이가 호미로 탄생되는 게 신기해 할아버지 심부름을 도맡아서 했던 나의 유년! 갓 벼린 호미자루를 들고 집을 향해 앙감질 뛰기로 달려갔던 선연한 기억이 늘그막의 가슴을 다시 달구는지도 모른다.

흉금을 트고 함께 글을 벼려가는 곳. 이 대장간이야 말로 글쟁이들의 영혼을 불사르는 올곧은 산실이 아니겠는가. 이 시린 세월, 좋아라고 감성 대장간을 드나들고 있으니 행복한 글쟁이라고나 할까. 내 영혼의 빛나는 다비식을 위해 한 편 한 편에 사력을 다할까 보다.

『한국산문』 2021. 5 / 『선수필』 2021. 가을

내 나이 즈음의 유월

산하가 푸르다. 수려하지만 짙은 푸름만큼 아린 기억으로 살아나는 유월. 오월이 우리에게 베풀었던 화사함도, 뭇 사람들의 그 빛나던 기쁨도 무색할 만큼 깊은 시름이 흐른다. 이날이라고 그 악몽이 비켜 가겠는가. 마을 뒷산 붉은 산등성이를 타고 들려왔던 처연했던 울음소리가 차창 밖의 바람결에 진폭을 더해가며 환청처럼 흔들리다가 사라지곤 한다.

여섯 살에 겪은 전쟁. 비행기 떠가는 소리에도 자지러질 듯 놀랐던 나는 성인이 되면서 조금씩 그 공포에서 벗어날 수 있었지만, 이날만 되면 불청객처럼 찾아온다. 우리 집 디딜방앗간에서 비상 양식 백설기를 찌기 위해 떡쌀을 빻던 날, 어른들 틈에서 내가 들은 얘긴 아무게 집 아들이 한밤중 피난길에서 큰물에 떠내려갔다는 거였다. 애간장을 녹여내는 곡소리를 들으며 그때 여섯 살짜리 여아가 떠올린 건, 잠결에 업혀가며 들었던 아비규환의 아우성과 물소리였다. 축축한 바람을 타고 마을로 퍼지던 곡성이 통풍환자의 통증마냥 시리게 건드리고 지나간다. 60년 세월을 훌쩍 넘은 세월인데 말이다.

어느새 버스는 명파 마을로 접어들고 있다. 이 마을의 이정표를 보는 순간이면 심장 박동이 빨라지고 묘한 호기심에 부풀곤 했는데 기이하다. 실종된 상 경기 탓인가. 이 마을이 적잖이 심란해 보인다. 금강산 관광으로 호경기를 누리던 시간으로 돌아가기만 기다리다 지친 모습이 역력하다. 오로지 평화통일만을 염두에 두었던 최북단 마을. 가가호호 정갈함이 묻어나 마을의 아늑함이 한결 안도감을 갖게 했는데 썰렁하기가 이를 데 없다. 차라리 내 어이없는 편견이라면 좋을 듯싶다.

통일전망대에 오르니 망원렌즈로 북녘을 코앞에 당겨놓고 긴장하는 아이들이 보인다. 대견스럽고 반갑다. 이 아이들 부모에게 넙죽 절이라도 하고 싶은 건 분단된 조국을 가르치려는 충정 때문이 아니겠는가. 나도 손에 잡힐 듯 가까운 거리로 마주 선다. 북녘 산하가 곱절의 그리움으로 다가온다. 멀리 '감호'를 에워싸고 모래사장으로 이어가다 점점으로 나뉘어 꿈꾸듯 졸고 있는 해금강. 언제까지 이렇게 건너다보고만 있어야 하는지 먹먹하다. 충혼의 넋이 실린 분단 선상의 산과 바다! 해안선을 들고 나는 파도는 미동조차 없다.

이날이 되도록 소통을 트지 못하는 현실을 임들 영전에 어떻게 설명해야 옳으며, 옷자락 훌훌 벗어던지고 철철이 잘도 변신하며 교태를 부리는 저 금강산에 대고 무어라고 소리쳐야 하는 걸까. 억장이 무너지듯 서글퍼지다가 그렇게 허허롭다. 591고지 전투 기념비에 국화를 바치고 내려선다. 근원 모를 우수가 가슴에 찬다. 아이들을 인솔하고 목에 힘줄을 불끈 세워가며 '평화통일'을 역설하던 예전의 울분이 아니라 표현키 어려운 착잡함이다.

전쟁체험 전시관에 들어섰다. '오늘 이 가족에게 보람을 선물하소서!' 아이 둘을 거느린 부부 뒤를 따르며 주문을 건다. 정작 이 의로운 순간은 내게 온 것이었다. 두 참전 용사와의 조우, 분명 극적인 만남이고 충격이었다. '군번 1136270 이이우 용사', 그리고, 태극기에 고이 수습된 무명용사의 유해 앞이다. '군번 1136270'을 유품으로 남기고 산화한 숭고한 넋, 태극기에 싸인 채 영면에 들지 못하고 뭇 시선을 받고 있는 무명용사의 유골은 백 마디 천 마디보다 많은 말을 던지고 있지 않는가. 이 군번과 용사의 유해 옆을 스쳐갔을 수십 수백만의 사람들은 과연 무엇을 염원하며 두 용사를 가슴에 품고 갔을까.

군번을 적고 있는 내 옆으로 아들 손목을 이끌고 한 엄마가 다가와 진열대 앞에 멈춘다. "군번이 뭐야?" 아이의 해맑은 질문이다. 그처럼 진지한 모자를 본 적이 없었기에 순간 긴장했다. "이분이 나라를 지켜주신 거야."로 설명을 끝내는 젊은 엄마. 난 뜨겁게, 정말 뜨겁게 아이와 엄마를 포옹하고 싶었다. 여태껏 전쟁의 트라우마를 기억하고 사는 여인네가 감복하고 말았으니 그 모자에게 더해 줄 말이 뭐가 있었겠는가.

놀이공원을 숱하게 두고도 통일안보 현장을 달려왔을 이날 현충일 관람객들! 불편한 보행에도 노구를 이끌고 북녘을 응시하던 연민의 시선들이며 혈기 왕성해 보이는 젊은이들. 특집을 찍느라 분주하던 한 방송사의 부산함도 '분단'이란 공통의 아픔 때문에 우린 하나였던 것이다. 십 수 년 만에 서게 된 통일전망대에서 내가 보고자 했던 건 분단의 현실이 아니라 통일된 조국을 바라보는 눈과 가슴이었는지도 모른다.

일정을 끝내고 귀가하니, 북에서 '남북 당국 간 회담'을 제의해 왔다고 채널마다 흥분이 고조되고 있다. 갑자기 무슨 저의인가 싶어 몇 번 건너본 다리지만 이번엔 더 신중히 두드려보고 건너자고도 했고, 그래서 더욱 반가움을 감출 수 없는지 여기저기서 기대가 만발하기도 했다.

그러기를 이레 째, 회담 무산 이유와 책임공방이 까칠하게 날을 세우면서 유월이 다시 오리무중에 빠져들고 있다. 전쟁의 비애를 품은 채 시퍼런 멍울을 풀지 못하고 앞서간 분들의 유월은 아직도 곳곳에서 비극으로 점철되고 있다. 하지만, 조국을 반석위에 올려놓아야 할 명제는 어느 때보다 뚜렷해졌고, 함께 행진해야 할 길을 한 방향으로, 한 목소리로 대답할 수 있어야 할 때도 지금이라고 본다.

유년의 기억을 뇌리에 달고 살면서도 이 나이 즈음의 나는 눈물겹도록 내 조국이 자랑스럽다. 이는 우리의 산하에 더 이상 슬픔이 서려선 안 된다는 확신이며, 이 땅이 평화의 교두보가 될 날을 기다리는 간절한 기도이기 때문인 것이다.

제19회 강원문학작가상 수상작

두 번째의 고별

염치없는 세월을 살았으니 힘들어도 선영까지 오를 참이다. 내 삶의 모태였던 생가 울타리를 지난다. 주인장이 바뀐 지 두어 번은 강산이 변한 세월. 가슴이 두방망이질이다. 무시로 꿈에서 노니는 집이지만 그 그리움 속으로 들어설 수 없는 아픔에 명치가 아리다. 이번 걸음까지 친다 해도 선영엔 다섯 손가락에도 못 차는 불효였으니 염치없는 노릇이다. 저 유택에서 미덥지 못했던 여식을 기다리셨을 내 어머니, 급한 경사가 아님에도 눈물 반 콧물 반이 되어 묘소 앞에 퍼질러 엎드린다. 다리 성할 땐 무얼 하다가 이리 힘들게 왔냐는 책망이실 듯. 이 나이에까지 온 딸자식을 알아보실까. 여의치 못한 무릎까지 빼닮아 '엄마'를 불러놓고 목이 멘다. 불효를 용서하라고.

옆에 누워계시는 내 아버진 바깥세상과 신문물에 더 친숙해 늘 밖에서 바빴던 가장이셨다. 배 아파 낳은 자식 다섯에 뉘(?)까지 보태어 준 지아비. 숯 검댕이 속으로 산 지어미 심중을 헤아리기나 하셨을까. 시앗 소생에게 내 새끼들의 따가운 눈총이 꽂힐세라 철들어 온 아일 감싸는 일까지 맡았던 여인네. 억척 시부모 슬하에 농가 며느리가 감당해야 했던 일이 산더미였을 테지만, 애증의 고뇌에 비기면 약과에 지나지 않았으리라. 무량 세월을 이렇게 함께 누워계실거면 맘고생이라도 덜 시켰으면 오죽 좋았을까. 밖으로만 퍼내던 헤픈 정에 얼마나 힘겨운 세월이었을까 마는, 이젠 그 회한도 삭아서 용서가 됐다고 말씀하시는 것 같다.

국화다발을 놓고 큰절 두 번을 올린다. 난데없는 산 뻐꾸기 울음! 어머니 홀로 되시고 어렵사리 뵈었던 날, 뒷골 상수원에서 구성지게 들었던 그 울음 아닌가. 가물에 콩나듯도 다녀가지 못하는 딸자식 위해 성치 않은 무릎으로 어시장을 다녀왔다던 엄마. 바람결에 다녀가는 딸자식이 얼마나 야속했을까만 제석祭席 한 틀 건네시며 봉제사 잘 하라는 유언 같은 당부가 마지막이었으니. 이 영물이 그날처럼 어머니 대신 안부를 묻고 있는 게 아닌지. 잘 하고 있냐고, 몸은 성하냐고….

바로 눈 아래 엎드린 생가를 내려다본다. 꿈속에선 아직도 그리운 나의 집. 툇마루에 나와 지나가는 이웃들을 불러 동동주 한 사발을 하고 가라시던 아버지 음성이 귓전에 생생하다. 부엌간을 분주히 오가던 엄마의 모습도, 포플린 꽃무늬 원피스를 입고 마당가에서 동생들과 땅따먹기, 구슬치기에 여념 없던 나도 거기 있다. 떡잎만큼 작았던 감성에 무성한 잎사귀를 달아준 나의 유년. 여기까지 온 것도 저 안에서 아름다운 무늬를 그렸던 유년이 있었기 때문일 게다.

큰길이 가까워 지나던 과객들이 들르는 날은 요기라도 하라고 소찬이 차려지던 집. 중농 살림이었지만 나누는 인심은 대농 못지않아 '밭가운집'

자식들에게도 칭송이 덤으로 돌아왔었다. 자꾸만 칭찬이 듣고 싶어 더 착해지려고 애썼던 날들이 신화 속의 얘기 같다.

고달프기만 했던 세월에도 너른 품으로 대소사를 끌어안았던 나의 어머니. 맏며느리의 후덕함이 가솔을 이끈 원력이었음을 어찌 모른다고 할까. 내 새끼들은 맏이로 주지 않겠다던 엄마의 희망사항을 딸자식 셋이 모두 그르치고 말았지만 서투르나마 제 소임들 다할 수 있었던 건 엄마의 부덕이었음을 깨닫는다.

지아비의 그림자로, 자식들의 가시고기로, 농가의 맏며느리로 살았던 아낙. 그 먹먹한 생애를 내 알량한 글 솜씨로 나타내기란 가당치가 않다. 어머니를 놓치고 싶지 않아 늘 생전의 음성을 떠올렸다. 엄마는 이승에서 난 유년으로 돌아가 생시마냥 얘기를 주고받으면 엄마는 돌아가신 게 아니었다. 잠자리에 들어 나직한 목소리를 떠올리다 보면 어느새 잠이 들 정도였으니까.

요즘 들어 거울 속에서 엄마의 모습을 본다. 흰 머리만 가리지 않았으면 영락없는 데칼코마니. 일상은 '이상 무'라 해도 한치 앞을 모르는 세상이다. 어쩌면 내 기억도 믿을만하지 못할 때가 올지 누가 알겠는가. 시시때때 귓전에 찾아오던 엄마의 음성이 차츰 멀어지는 느낌이다. 엄마의 나이를 넘겨 살았으니 이 놀음도 그만 두라는 분부가 아니신지. 이젠 비워내고 편안해지라는 이르심인 건지.

딸자식 셋의 손에 분단장 곱게 하고 베옷 입고 떠나셨던 게 첫 고별이었다. 어머니 가신 후 그리움을 달래 온 스물다섯 해를 묘소 앞에서 내려놓는다. 엄마도 딸 생각 그만두시고 편히 쉬시라고. 두 번째의 이별을 재배로 고한다.

선영에 두루 배알을 하고 돌아서는 걸음이 한결 편안하다. 두 번째의 고별이 그리 슬프지만은 않은 까닭이리라.

『창작수필』 동인지 22집

산하, 요동치다

오연傲然하기만 하던 명품 고개가 그 견고한 심장을 송두리째 내주고 있다. 신성시 해온 대관령이 인간의 편의를 위해 허리가 잘리고 있는 중이다. 진통을 참느라 안간힘을 쓰고 있는 모습이 눈에 보이듯 선하다.

유유자적 동해로 물길을 터온 남대천은 그날 디데이를 위해 하저터널 공법에 하체를 맡겨버렸다. 철교를 달려오며 '나 여기 오고 있어요!' 재롱 떨듯 입성하던 열차는 정동진역에 임무를 이양하고 다른 비상을 향해 카운트다운을 기다린다. 1962년 11월 6일 증기기관차로 걸음마를 뗐던 강릉역이 쉰 두 해의 애환을 마감했기 때문이다.

도심을 가로지르던 철로 변으로 코스모스가 살랑댄다. 폐철도 부지의 극적 변신에 귀에 익은 열차소리를 이명처럼 떠올리는 시민에게 주는 위안의 몸짓일까. 이곳을 떠나면서, 때론 귀향길이기도 했을 추억을 반추하며 그리움을 풀기에 안성맞춤인 날. 기대와 서운함이 교차하는 상념에 빠져들다 문득 정신을 차리고 보면 예향의 일대 변혁을 예고하는 현장이

도처에서 목격된다. 변화와 개방에 비교적 온건한 입장을 고수해왔던 이곳 사람들에겐 임영의 유사 이래 초유의 역사役事인 동시 경이로운 반전이라 일컬을 만하다.

대관령 옛길 반정半程에서 한숨 돌린 후 이레를 더 걸어야 당도할 수 있었던 한양 길이었다. 대관령을 양장羊腸처럼 험난한 산길이라 읊었던 매월당 김시습. 북촌 벌을 내려다보며 애절한 사친시思親詩를 남겼던 신사임당. 송강 정철 역시 이 험준한 고개를 넘으며 시를 지었다 한다. 평생에 이 재를 넘지 않고 사는 게 복이라 여겼을 만큼 옛 강릉 사람들에게 인식된 대관령의 의미는 신비스러우면서도 고난의 길이었을 듯하다.

아흔아홉 구비 비포장도로를 넘어 7시간은 더 걸려야 서울에 도착했던 시절이 있었다. 눈 내리는 날은 3시간도, 폭설일 땐 사흘까지도 불통이었던 고갯길이 15분으로 단축된 것은 21.9 킬로미터의 대관령 구간이 4차선으로 확장된 2001년 6월이었다. '대굴령'에 도전한다는 것, 그건 강릉 사람들에게 신앙과도 같은 대상이었기에 불과 2시간대의 서울 나들이가 가능해지는 고속철은 생애에 다시는 없을 경사이리라. 유장한 세월을 강릉사람과 함께 해온 대관령과 남대천. 지금 격동의 아픔을 겪고 있는 거라면 어쩔 수없는 시대적 요청이라고 위로하고 싶다.

대관령 중허리를 뚫고 나온 고속 전철이 남대천 상류를 가로지르면 외곽인 금광 벌로 이어진다. 여기서 10여 킬로의 시내 노선이 남대천 지하 20미터의 하저河底터널을 통과하면 시 · 종착역인 강릉역인 것.

"시방 임당시장하고 먹자골목 상인들을 대상으로 보상해 줄지 구상 중

이래요."

"뒤늦게 강릉역 지하화가 결정돼 어쩔 수 없었잖소!"

골목상인들과 철거 · 보상 문제를 두고 실랑이를 벌였을 시청 관계자가 시름을 털어놓으며 하던 말이 떠오른다. 협상 과정이 얼마나 힘들었으면 진한 강릉 사투리가 하소연처럼 들릴까. 동계올림픽 개최지로 낙점받아 일신된 면모로 도약하느라 솔향 곳곳이 진통을 겪고 있음을 안다. 이제 더 이상의 요행이나 이권을 두고 벌이는 다툼은 없었으면 좋으련만… 저탄소 녹색도시, 행복도시의 시민으로 살아갈 기쁨을 생각한다면 양보의 미덕이 필요하지 않을까 싶다.

청정 동해안의 천년고도를 향해 KTX 건설이 괴력을 발휘하며 실시간으로 거리를 좁혀온다. 주렁주렁 짚신을 매달고 발이 부르트도록 걸어야했던 아득한 천릿길이 일일생활권이 아니라 반일생활권으로 들어올 참이다.

올림픽 개최지로서 더 이상의 편의를 욕심낼 수 없을 만큼 경이적인 혜택임은 누구도 부인하지 못한다. 하지만, 멀리서 바라만 봐도 좋았던 대관령 4계가 거대한 교각에 가려져 의연한 자태를 잃었다. 체면을 구기고 만 자존심이 걱정이다. 솔향의 풍광을 제대로 알려거든 아흔아홉 구비는 아니더라도 4차선 도로부터 쉬엄쉬엄 내려오라지 않았던가.

'그려도 움직이는 한 폭의 비단'이라고 노래했던 초당 선생의 '대관령'만 보더라도 그렇다. 휘황한 터널 속을 눈결에 달려와 다시 분초를 다투어 돌아설 양이면 천년의 걸음으로 이뤄낸 문향 · 예향을 어찌 다 헤아리고 가겠는가. 고속전철이 온다 해서 동계올림픽이 성공한다는 보장은 없다. 오가는 길이 빨라졌다고 쾌재를 부르고만 있을게 아니라 강릉의 진면목을 어떻게 보여줄 것인가를 고민해야 할 것이다.

나는 지금 백두대간 대관령의 폐부에서 울리는 굉음을 듣는다. 남대천 20미터 깊이에서 젖줄의 시원始原을 도려내는 격동의 현장을 생각한다. 들리지 않아도 들을 수 있는 소리, 보이지 않아도 볼 수 있는 거리이다.

우리가 모든 걸 내줄 테니 2018 동계올림픽을 부디 성공시키라는 교시인지도 모른다. 대신 임영臨瀛의 뿌리를 지켜가며 작고 소박해도 정겨운 예스러움으로 '솔향강릉'을 내세우는 일. 도도한 문명의 위력에 들뜨지 말고 강릉을 더욱 강릉답게 만들라는 지엄한 분부로 알아들어야 할 것이다. 글로벌화로 가는 길에 행운처럼 오게 된 KTX. 시집오는 새아씨로 반겨 맞아도 될 것 같다.

『강릉가는 길』 2015. 봄

금쪽이

아이들이 귀한 세상이다 보니 '금쪽이'로 불린다. '우리 아이'가 훨씬 좋은 말인데 사람을 금붙이에 비기는 것 같아 석연치 않지만 어느새 그리되고 말았다.

위층 쌍둥이 형제가 제 엄마 심부름을 왔단다. 결혼 6년 만에 얻은 다섯 살 배기들. 마스크로 가린 실눈에 장난 끼 웃음이 가득하다. 맞벌이 부부가 간절히도 원했던 터라 두 생명의 탄생은 이웃의 경사이기도 했던 것. 그야말로 금쪽이들이다.

갓난쟁이 둘의 울음소리가 여간 아니었지만 같은 통로에선 이제야 사람 사는 것 같다고들 했다. 밤낮을 모르는 잠투정에도 내 손주들로 여겨진다고 입을 모았었다. 고물고물한 손주들 구경이 옛날이었던 까닭이다.

걸음마를 떼면서 시작된 발소리가 요즘 들어선 경마장에 나온 망아지들 마냥 격렬해졌다. 고 녀석들 지치지도 않나보다. 그래그래, 맘껏 뛰려무나. 병치레 않고 커주는 것만도 고마운데 까짓 소음쯤이야. 미안해하는 부모 맘을 아는 터라 "고놈들 아주 잘 크네."로 응원을 보낸다.

"할머니, 포도 잡수세요!" 형보다 활달한 동생이 문간에서 바구니를 들이민다. 어쩌면 좋아. 덥석 안아줘도 모자랄 판에 방에 들이지도 못하고 그냥 돌려보내야 하다니. 이래저래 망할 놈의 세상이다.

우리나라 출산율이 세계에서 꼴찌라고 한다. 세계 1위로 꼽히는 분야가 얼마나 많은데 신생아 출생은 해마다 최저를 기록한다. 이대로 가다간 저출산국가 한국이 국가소멸 1호가 될 거라는 경고다. 내 나라가 사라질 위기라니 이런 날벼락이! 아연실색할 노릇이다. 인구 학자의 근거 있는 예측이니 반론을 제기할 바도 못된다. 흘려들을 얘기가 아닌데 이 부끄러운 현실을 어쩔 것인가.

끼니 잇기가 힘들었던 시절에도 한 집에 아이 예닐곱은 예사였는데. 먹고 사는 일에 허둥대면서도 열손가락 깨물어 안 아픈 손가락 없다던 우리 어머니들. 자식을 지켜내고 바로 세우느라 당신께 돌아가는 몫은 없어도 부자라고 여기지 않았던가. 저마다 제 먹을 복은 타고난다던 믿음이 신앙만큼 굳건했다. 줄줄이 자식을 낳은 부모의 억지 변명은 아니었을 진데 어찌 이런 불명예가 우리 몫이란 말인가.

새파란 나이에 둘째 아이를 가졌으나 어쩔 수 없이 수술대에 누워야했던 작가의 얘기가 논의에 올랐었다. 젊은 나이에 부모형제의 부양을 도맡았던 장남은 평소에도 둘째 얘기는 입 밖에도 내지 못하게 했었다. 행여나 싶어 둘째의 임신을 숨긴 채 남편 심중을 떠 보았지만 돌아오는 대답은 하나. 그녀는 끝내 피눈물을 삼키며 3개월의 목숨을 도륙한(?) 셈이

되고 말았다. 둘째는 꿈도 꿀 수 없는 일이었기에 여인은 아기집까지 들어내며 처절히 오열했다. 분신을 품어본 모정이라면 누구든 짐작이 갈 터이나 그것으로 끝나는 일이 아니었다.

상처가 서서히 잊혀 질 무렵, 둘째를 임신하고 뛸 듯 기뻐하는 앞집 새댁을 보는 것이 견딜 수 없는 슬픔이었다는 그녀. 죽을 만큼의 가난은 아니었는데 서로가 편해지자고 저질러 버린 죄과가 아니었나 싶어 뼈저린 후회를 하게 될 줄이야. 작가의 고백 앞에 우리 모두 떳떳할 수 없는 건 이 비정한 죄과를 저지르고 사는 여인이 한둘이 아닌 까닭일 게다. 죄인은 결국 생명의 은총을 거부한 우리 모두였기에 참회의 길이 그리 간단하지 않아 보인다.

금쪽이 형제에게 동생이 생기게 될 거란 희소식이다. 지혜로운 현모양처는 새 생명의 잉태가 그저 감사할 뿐이라고 한다. 한꺼번에 사내아이 둘을 키우느라 직장도 포기했으면서 아이들 엄마로 살 수 있어 행복이라고. 첫아이들을 얻기까지 겪은 시행착오의 순간들을 생각하면 이번엔 공짜로 주시는 선물 같다고 한다.

결혼 적령기에도 출산 · 육아가 힘들어 결혼 같은 건 않겠다고 손사래를 치는 세상이 아닌가. 결혼은 하더라도 자녀는 한사코 '노'라고 말하는 젊은이들. 몸도 마음도 홀가분한 싱글이 로망이라는 청춘남녀에게 묻고 싶은 심정이다. 내 나라가 송두리째 증발한다는데 그대들, 부모의 목숨을 빌려 이 세상에 온 까닭이 무엇이냐고. 자식 위한 일에 물불 가리지 않는 부모의 힘은 어디서 오는지를 아느냐고.

물질의 풍요를 누리면서도 인간 존엄의 가치는 잊고 사는 세태를 보고

만 있을 수 는 없을 것 같다. 나를 알고 부모를 알려거든 분신을 통한 깨달음이 최선임을. 많이 가르치는 과잉 사랑은 아예 말고 제대로 가르치는 참사랑이 중함을 알아야 하는데. 세상의 이치를 하나로 묶는 가치. 그게 바로 생명의 순리를 따라 부모가 되는 일임을 말이다.

셋째를 기다리는 여인의 모습이 아름답다 못해 숭고하다.

"할머니, 우리 엄마 뱃속에 동생 있어요!"

두 금쪽이가 필시 자랑을 하고 나설 터이다. 이왕이면 고 녀석들 입에서 '여동생'이라는 말이 튀어나왔으면 좋으련만.

『창작수필』 2021. 겨울

그 감격, I Have A Dream!

칠흑같이 어둡던 실내경기장에 불이 켜지자, 지휘자의 손이 번쩍 위로 올라갔다.

2018명 입에서 일제히 흘러나온 I Have A Dream! 빙상경기장에 들어서는 물빛 제복의 IOC평가단을 맞으며 장중한 대합창이 환희로 물결치기 시작했다. 예상치 못한 감동의 파노라마에 놀란 14명의 올림픽위원과 해외 보도진들! 올림픽 유치를 염원하는 강원도민의 대합창이 귀로, 가슴으로 파동치자 그들 눈빛이 경이로움으로 빛났다. 그리고 되돌아온 것이 긍정의 텔레파시. 터져 나온 '원더풀!'과 떠나갈듯 한 박수갈채. 바로 2011년 2월 18일 오후 3시의 역사적 순간이었다.

'나에겐 꿈이 있어요.' 비상을 꿈꾸는 강원도민의 가슴에 메아리로 흘렀고, 방송과 신문은 앞을 다투어 감동 뉴스로 경쟁하고 있었다. 입춘을 한참 지난 절기로 봐선 천재지변이랄 수밖에 없는 폭설이 동해안 작은 도시를 덮은 날이었고, 기적적인 서설에 설국이 된 소 도읍은 동계올림픽 유치를 확신하며 흥분으로 들뜨기 시작했다. 이로써 아름다운 강릉은 동계올림픽의 위대한 서막을 올리며 예사롭지 않은 용틀임을 전 세계에 보기 좋게 스트라이크로 날린 것이다.

강원도가 IOC 현지실사를 위해 기획한 야심찬 이 계획이 순조로웠던 건 아니었다. 국내 저명한 뮤지컬 여 감독에게 이 프로젝트가 맡겨지자 2백만 도민은 환호했다. 눈 속을 뚫고 달려간 팀별 책임자들이 알펜시아에서 만난 날, 명성 높은 연출자가 의도하는 구상은 기발하면서도 원대했다. 그날, 거도적으로 마련된 축배의 자리에서 올림픽 유치를 위한 기원이 하나로 모아져 참석자 모두가 고무되고 있었다.

하지만, 뜻밖의 복병이 기다리고 있을 줄이야. 전문성을 기대했던 기획자 기대에 합창단의 기량이 못 미쳤기 때문이었을까. 아님 너무 촉박했던 시간 부담 때문이었을까. 전폭적인 관심과 옹위를 받아온 지휘자가 교체된다는 전갈에 전 도민의 가슴은 철렁 했다. 속수무책, 기다릴 수밖에 없는 해프닝이 일주일 여를 이어가다 총 리허설을 겨우 열흘 앞두었을 즈음, 구원처럼 와준 것이 바로 'I Have A Dream'이었다. 1979년 스웨덴의 팝그룹 아바가 불러 이미 세계적으로 사랑받아온 히트곡. 절체절명의 순간 우리에게 와 준 이 노랜 그냥 팝의 명성으로 와준 게 아니었다. 어쩌면 이 레퍼토리와 강원 도민 대합창단의 조우는 운명적이었는지도 모른다.

조직 초반부터 참여를 천명하고 나섰던 우리 합창단은 실버임에도 의욕으로 넘쳤다. 불과 열흘이란 연습 기간이었지만, 간절히도 바래왔던 올림픽 유치였고, 이 경사스런 전초전을 대충 치룰 수는 없다는 절박함에서였다. 주 1회 정규 활동을 1일 스케줄로 좁혔다. 잦은 눈으로 지근대는 행복모루 언덕길을 오르내리느라 넘어지고 엉덩방아찧기 일쑤면서도 개의치 않았다. "우리 생애가 얼마 남았다고, 이게 얼마나 신명나는 기회인데…." 독보력에 시창이 가능한 단원들은 가진 것 모두를 걸어도 좋다며 초인적으로 맹연습에 돌입했고 비장해지기까지 했다. 허리 통증으로 입원 중이던 단원이 서울서 돌아오고, 귀한 손자 뒷바라지도 제쳐두고 연습 삼매경에 빠질 만큼 합창단의 충정은 혹한을 녹였다. 감동을 전하기 위해선 악상에 맞춘 음악적 감성이 중요했고, 원어 발음 또한 흘려들을 수 없는 사안이었기에 꿈속에서도 멜로디가 맴돌 만큼 연습에 결사적이었다.

디데이를 나흘 앞둔 2월 14일 아침, 며칠을 두고 내리던 눈이 밤새 폭설로 이어지는 통에 하루 적설량으론 100년 만의 이변이라는 기상특보가 떴다. 우린 허리 위까지 차는 눈길을 뚫고 연습장에 섰다. 신의 계시라도 받은 양 디데이를 위한 일념은 모두 한결 같았기 때문이다. 춘천, 원주지역에서 강릉 빙상경기장으로 집결하기로 된 일정에 맞춰, 군인, 경찰, 공무원에 시민까지 가세한 제설작업은 군 작전을 방불케 하는 사투였다. 전국에서 강릉, 평창으로 제설차가 지원을 해왔었고 초미의 관심사 속에 드디어 2월 18일을 맞은 것이다.

도내 4개 시립합창단과 유소년, 중고교 합창단, 도내 유수한 합창단에 군 장병, 장애자단체 총 2018명이 빙상경기장에 좌정했다. 단 몇 시간의 최종 리허설은 일사분란하면서도 질서정연했다. 흥분을 감추지 못하면서도 결연한 의지가 감도는 가운데 야심찬 드림프로그램으로 양성된 해외 꼬마선수 50여 명이 아이스링크에 서자, 일시에 불이 꺼졌다. 기침소리 하나 들리지 않는 정적과 암흑! 합창단 2018명은 숨소리조차 삼키며 2분여를 침묵했다.

드디어 점등과 동시에 흘러나온 I Have a Dream! 연이어 대합창이 우리의 '아리랑'으로 이어지는 동안, 아이스링크에서 청소년 드림팀이 펼치는 환상의 퍼레이드에 호응하며 린드버그 단장은 시종 감격의 미소를 보냈다. 2018명이 하모니로 쏘아올린 화살이 스웨덴 여장부의 강심장에 분홍 큐피트로 꽂히고 있음이었다. 그날 저녁, 실사 일정을 마치고 알펜시아로 복귀한 종합평가 석상에서 린그버그 단장은 빙상경기장의 대합창을 일러 이렇게 말했다. "실사 일정에서 가장 감동적이고도 잊을 수 없는 순간이었다."고…. 역시 그녀는 IOC 평가단 14명을 거느린 명 단장이었고 우리에겐 더없이 친근하게 다가왔던 귀한 손님임이 분명했다.

그날, 열광했던 순간들을 떠올리면 지금도 가슴이 뛴다. 스무 평 교실에 온 열정 다 쏟아부었던 가슴 뜨거웠던 우리들이었기에 흔쾌히 나설 수 있었던 날. 날선 바람에 은발 풀풀 날려가며 총력전(?)에 임했던 실버사단을 고운 시선으로 지켜보았는지 아닌지는 중요하지가 않다. 강원도의 비상을 위해 역사적인 순간을 함께 했던 그 감격을 잊을 수 없기에 우린 노래 할 수 있는 날까지 이 노랠 내려놓지 못할 것이다.

난 꿈이 있어요/어떤 어려움이든 이겨내기 위해/ 부를 노래도 있죠 (……)

제19회 강원문학작가상 수상

다시, 4월

토머스 엘리엇이 그의 시 '황무지'에서 가장 잔인한 달이라며 노래한 건 4월이었다.

다시 봄이 되어 버거운 삶의 세계로 돌아와야 하는 모든 생명체의 고뇌를 묘사하며 겨울은 차라리 평온했지만 다시 움트고 살아나야 하는 4월은 그래서 잔인하다고 표현한 것이리라.

호시절에 우린 이 시를 읊으면서 마냥 낭만으로 여겼었다. 느닷없이 닥쳐오는 꽃샘추위, 변덕 잘 부리는 4월이 봄을 잉태한 산고 때문이라 여기며 그리 알았었다. 오월을 준비하는 사람들은 그 설렘을 기다리며 둔갑장이 4월을 잘 참아냈고 철늦은 눈에 봉오리 째 꽃눈이 뭉그러져도, 높새바람에 태질을 당하며 새순이 꺾이는 걸 보면서도 우린 잘 참아냈었다.

그 4월이 오고 있다. 기다려주는 이 하나 없는데도, 통한의 아픔을 무슨 재주로 달래려는지. 그 수많은 오열을 어찌 감당하려고 4월이 오는 건지 진실로 모를 일이다. 우주의 순환을 무슨 수로 거스를 수 있겠는가. 기억조차도 두려운 비통함으로 이 나라가 또다시 모진 홍역을 치를 생각에 두렵다. 우리 기억에 이처럼 잔인했던 4월은 일찍이 없었으니 늘그막에 있는 여인네 눈시울이 벌써부터 뜨거워짐도, 이 땅의 백성으로 살아온 눈물이 마르기엔 턱없이 멀었음이 아닌지.

내 나이 꽃띠 시절에 맞이했던 4월의 봄은 자유를 목숨보다 더 갈망했던 젊은 혈기로 도시의 거리거리가 선혈로 낭자했었다. 그 4월은 의로움에 사기충천했던 고귀한 희생 때문에 분명 '위대한 4월'이었다. 잔인하기만 했던 게 아니라 만방에 위업을 천명하고 나선 달이었으니 말이다.

지금 우리 곁으로 다가오는 4월은 무언가. 우리들 생애에 이처럼 우울한 달을 맞이해야 하는 게 참으로 슬프다. 세월호에서 십여 명의 목숨을 구조했던 의인이 스스로 목숨을 끊으려 했다는 안타까운 사연이 보도됐었다. 미처 구출해내지 못한 아이들이 눈에 밟혀 죄책감에 시달리다 자신의 손목을 그었다는 것. 절체절명의 순간에 그 간절했던 눈빛들을 물속에 남겨두고 돌아서야 했던 그 의인의 심중이 어찌 짐작이나 가겠는가.

그는 세월호 선장도, 선원도, 해경도 아니었다. 이렇다 할 보상 없이 생활고까지 겹쳐 사고 당시의 트라우마에 시달려야 했던 한 화물트럭 기사의 절망을 우린 또 무슨 말로 변명할 수 있을지… 악몽의 현장이 아니었다 해도 이 참극은 우리들 가슴에 주홍글씨를 새겨놓았다. 그것도 영영 지워지지 않을 잔인하기 이를 데 없는 글씨 말이다. 바람만 살짝 스쳐도 극심한 통증을 앓는 통풍환자가 되고 말았다. 4월만 떠올려도 정말 못 견디게 아프다.

단 한 명의 아이를 구하고자 한밤중에 출동했던 해경 헬기가 3명의 순직자와 바다에 잠기고 말았다는 뉴스를 접한다. 거친 파랑에 싸늘해진 바다를 애타게 바라보며 발을 동동 굴렀을 아이들과 선생님을 생각하니 4월 그날이 몇 천배의 악몽으로 다시 살아나 온몸이 시리다. 헬기와 최후를 맞은 조종사는 후배들을 살려보려다가 자신의 구명조끼도 펼치지 못했더란다. 일곱 살 아이의 선생님은 순직 영령들에게 보내는 눈물의 편지에 고귀한 희생을 가르치겠다고 온 나라에 맹세하고 나섰다.

그런데, 그날 팽목항 바다를 구름처럼 몰려왔던 어정쩡한 구조선들. 양심을 팽개치고 제 살길이 바빴던 세월호의 파렴치는 어떠했던가. 입에 올리기도 부끄럽고 이젠 그 이름들을 거론하는 것조차 창피하다. 그들이 무엇으로 이 세상에 살아남기를 원했든 마땅히 단죄되어야 할 것이고, 꽃다운 목숨들을 지켜내지 못한 이 땅의 어른들은 눈물도 사치스러워 울 수조차 없다.

시인은 4월엔 꽃을 보고도 웃어줄 수가 없다고 한다. 그 푸르디푸른 목숨들을 무참히 버린 우리들 양심이 부끄러워 도저히 하늘을 쳐다볼 수가 없단다. 무지렁이 벽창호 심장이 아닌 이상 시인의 이 고백이 바로 우리 모두의 심경이라 말해야 할 것이다. 그 비정한 4월을 다시 맞는다. 이백 예순 한 명의 영전에 진혼곡이라도 바쳐야 오는 4월이 조금은 덜 죄스럽지 않겠는가. 환란의 계절에 우리가 새롭게 태어나고자 함이라 토로하고 싶다.

얘들아/ 4월에 진 곱디고운 꽃들아/ 세상은 지금 파릇한 봄이란다/ 꼭 너희만큼 파랗고 향그러웠던 봄날이란다//

이젠 그 어둡고 차가운 곳에서 나와 고개를 들렴/ 4월이 무섭고 싫거든 환한 5월에 와도 좋아/ 미처 못 피운 꽃망울 활짝 피워내 제일 양지바른 곳/ 그래, 거기/ 동그란 꽃밭에 둘러앉으렴//

어디든 가고 싶을 땐 산들바람으로 불어와/ 여린 풀잎 만나거든 부드러운 너희 손길로 쓸어주고/ 힘겨워 지친 이들을 만나면 귓속말로 위로해 드려야 해/ 바람이 되어 우리가 왔노라고/ 이대로 쓰러지면 안 된다고 일러 드리렴//

학교가 그리운 날에는/ 선생님, 친구들 함께 손잡고 오지 않으련/ 교실 창가에 밝은 햇살로 앉아보고/ 교정 곳곳 작은 미소라도 지어주면 아우들이 기뻐하지 않겠니//

이젠 너희가 말하지 않아도 우리는 안단다/ 부디 그날의 긴 울음을 거두고/ 겨레의 형형한 눈빛으로 다시 살아나/ 영원불멸 멈추지 않는/ 세세손손 이 겨레의 맥박으로 뛰자꾸나//

– 졸시 〈다시 4월에〉

『강원포럼』 2015.4.11

초임지

내 교육항해의 첫 출항지였던 모교는, 여자 아이 걸음으로 20여 분은 족히 걸어야 했던 작은 학교였다. 감수성 예민하고 순응 잘 하지만, 영악스럽거나 매몰차지 못 해 늘 양보를 먼저 생각했던 초등생이었고, 졸업 후 햇병아리 교사로 걸음마를 떼는 터여서 모교와의 해후는 쑥스러우면서도 두려울 수밖에 없었다.

꽃샘추위가 시작이던 3월 첫 출근 날, 미용기술을 배우는 중이던 동네 친구가 화롯불 옆에서 말아준 머리 모양새에 학생 티 못 벗은 초임교사가 조심스레 교무실 문을 밀었다. 새까만 신규교사의 출현에 요모조모 뜯어보느라 빙긋빙긋 웃음을 감추지 못 하는 선배교사들 시선을 의식하고 초년병은 적잖이 주눅이 들었지만, '내 모교야.' 맘을 다잡으며 태연자약하려 애를 썼다.

6년 동안 무지개가 뜨고 오색 풍선을 날렸던 하늘 밑의 운동장에서 새내기 여선생은 전교생 후배들을 앞에 두고 밤새 외운 부임 인사를 풀 바람 같은 목소리로 읊었다. 졸업 후 처음으로 서보았던 모교의 조회대였고, 많은 아이들 앞에 서 보기도 처음이었다. 유년 시절의 꿈이 어설프나마 조금씩 여물어갔던 그 운동장에서 말이다.

상기된 얼굴로 2학년 교실에 들어섰다.

"와! 우리 선생님, 쌍둥이 형 누나다!"

"맞다! 그 형아들 누나야!"

내 첫 제자들이 던지는 첫마디였다. 졸업성적 우수하다고 1차로 발령받은 모교였고, 딸자식 멀리 두길 원치 않으시는 부모님 원대로 대처 근무도 포기하고 선택한 초임지. 느닷없이 '쌍둥이 누나'로 명명되는 바람에 낭패감에 휩싸이고 말았다. 난 교탁 앞에서 부동자세로 술렁거림이 멎기를 기다렸다가 칠판에다 대문짝만하게 이름 석 자를 쓰고 통성명을 했다. "얘들아, 안녕! 이제부턴 선생님이라고 불러줘." 그리곤 방긋 웃었다. 아이들 눈빛이 반짝 빛나며 입가에 미소가 실리는 순간, 교실 안에 찰랑거리던 밝은 봄빛이 갑자기 아이들 사이사이를 날아다니는 나비 떼가 되었다. 사제 간의 눈 맞춤으로 교실의 냉기가 간데 없이 사라지고 훈훈한 꽃밭이 된 거였다.

내 교직생애 마흔 넉 줄 반의 서막이 비로소 오르고 나는 모교에 '교육'이라는 첫 깃발을 꽂은 것이었다. 어쭙잖은 솜씨로 교실에 조롱조롱 아이들 꿈을 매달아 놓고서, 두레박으로 우물물 퍼 올려 청소하고 분필가루 날리며 하는 초 아날로그 교육이었지만, 담임의 가슴 안에 들어오는 아이들 영혼은 깨끗했다. 학교 안 빠지고 숙제 해오는 것만으로도 고마운 아이들이어서 담임 욕심대로 교실 안에서만 붙들고 있을 수는 없었다. 마치 '느림의 미학'을 실천해 가듯 느린 걸음으로 성장해 가는 시골아이들에게 엄중한 잣대를 들이댈 수도, 호되게 다그칠 수도 없었다. 이제까지 알아왔던 교육이론보단 가슴으로 부대끼는 교실현장이 훨씬 소중하고 감동적임을 터득해 갔다.

연필소리 달그락거리며 오가던 등하교 길이 손가방 들고 옷매무새에 걸음걸이까지 조심스러운 출퇴근길이 되었고, 다행히도 지켜보는 시선들이 부드러워 병아리 선생은 어깨 죽지에 돋아난 '사명감'이란 작은 날개를 파닥이며 휘하의 어린 양들과 신명난 교류를 주고받느라 하루해가 짧았었다.

초여름이 시작되던 어느 날이었던가. 난 학교 뒤뜰의 우물가에서 담임반 ○○녀석을 함지박 속에 앉혀놓고 우물물을 퍼 올리고 있었다. 할아버지가 다된 농사꾼의 늦둥이 막내였던 녀석은 잘생긴 얼굴을 하고서도 여름에 가까워 질 때까지 때를 씻고 오지 않아 담임의 애를 태웠다. 그래서 감행한 것이 목욕시키기 작전. 여름이라고 하지만, 우물물이어서 아이는 입술이 파래져서 떨고 있었다. 용의검사 때마다 이행되지 않던 약속이라 그렇게라도 하지 않으면 안 되었던 거다.

쌍둥이 동생 목욕도 한 번 시켜보지 않았고 묵은 때 밀기는 더구나 처음 해보는 일이라서 힘들다는 생각에만 몰두해 있을 때였다. "우리학교에 페스탈로치 생겼네!" 창밖으로 고개를 내밀고 농담인지 진담인지 모를 말을 던지고 지나가는 선배교사는 초임교사에게 늘 아리송한 질문을 해서 의중을 알아내기가 쉽지 않았다. 그것이 빈정거림이었는지 아님 진심에서 한 말이었는지는 모르지만, 교직을 수행해오는 동안 난 그 페스탈로치라는 이름을 자주 떠올렸던 게 사실이었고, 언감생심 거기에 가까워지려는 소박한 노력도 기울인 게 사실이었다.

가까스로 목욕을 끝내고 나니 녀석이 담임을 쳐다보고 천연덕스럽게 웃었다. 묵은 때를 벗었으니 얼마나 개운했을까? 실랑이를 벌이느라 난감했던 기분이 싹 날아가고 오랜 시간을 잘 참아준 녀석이 고맙기까지 했다. 그때 새 옷으로 갈아입혔더라면 훨씬 아름다운 기억으로 남았을 걸, 그걸 이행 못하고 만 나는 오래도록 아쉬움을 누르며 지냈었다.

이후로 아이들을 시내로 몰고 나가 내 방식으로 개구리헤엄을 가르치고 덤으로 목욕효과를 겸하는 체육시간을 의기양양하게 진행했다. ○○녀석은 담임이 지켜보는 코앞에서 자맥질 솜씨를 자랑스레 선보이며 천진스럽게 웃었다. 전천 시냇가가 멱 감는 하동들의 웃음소리로 들썩였고, 아이들을 따라 냇가로 나온 여름해도 함박웃음을 터뜨리며 작열했다.

그렇게 여름이 가고 가을 운동회가 다가오자 막내교사에게 대 단체무용이 맡겨졌다. 하필이면 마스게임이 진행되던 중에 쏟아진 소나기에 교직 초년병은 눈물 반 빗물 반으로 얼마나 울먹였던가? 모교였기에 의연해야 했고, 모교였기에 의기소침해선 안 되는 일이었기에, 신규교사에게 주어진 숙명 같은 범실을 수수께끼 풀어가듯 교직 원년을 보냈다.

이듬해 첫 제자들을 올려 보내고 다시 신학기를 맞았다. 두 달이 지난 5월 8일, 교직 생애에서 가장 당혹스럽고 기막힌 일이 생겼다. 정기인사기도 아닌데 발령이 났다는 거였다. 그것도 근무 경력이 가장 짧은 애송이 교사에게 말이다. 영문을 모르겠다고 해명하는 학교장 앞에서 막무가내로 눈물만 펑펑 쏟았다. 그건 도무지 간과할 수도, 용납해서도 안 되는 치욕이었고 참을 수 없는 수모였다.

그때 후임으로 진입한 교사는 공교롭게도 첫 발령지 오지에서 근무하던 사범 동기생이었고, 그는 새 부임지마저 성에 차지 않았는지 여자 동기에게 비정기 인사이동이라는 불명예를 안겨주고 교단을 떠나고 말았다. 어이없는 해프닝에 상처 입은 자존감 회복은 의외로 더디었다. 명분 없이 모교를 떠나게 되었다는 피해의식에 사로잡혀 늘 납덩이같은 마음의 짐을 달고 지냈다. 졸지에 객지로 나간 여식 때문에 어른들 상심도 클 터여서 불효 여식이 된 기분으로 우울했었다.

중견교사의 반열에 들어선 지도 한참은 지난 1989년, 고향 가을 길에서 극적인 조우로 한 젊은이와 마주쳤다. "선생님, 저 ○○○입니다!" "선생님이 목욕시켜 주신 ○○○입니다!" 옛 담임이 못 알아볼까봐 연거푸 이름을 대며 허리를 굽히는 서른 중반의 그는 분명 내가 목욕시켰던 그 ○○군이었다. 훗날 '내가 그때 정말 잘한 일이었을까?' 수없이도 되뇌었던 바로 그 유소년과의 조우였다.

난 감격했다. 그는 학습발달이 느려 미처 글자를 깨우치지 못하고 있었던 아이였고, 여자 담임 손에 알몸이 되어 몸을 씻은 아이였지만, 숨기고 싶은 기억일 수도 있었던 내력을 추억으로 되짚어낼 수 있을 만큼 미덥고 순수한 제자였다. 초임지 모교에서 남매 같은 사제로 쏘다니며 어울렸던 바로 그 가을 들길에서 말이다.

그때 싫다고 발버둥이라도 쳤더라면, '우물물 길어 올려서 제자 목욕시키기 작전' 같은 건 내 이력에 아예 없었던 일이었을 터이고, '난 사람', '든 사람' 보다는 '된 사람'으로 가르치고자 했던 한 여교사에게 주홍 글씨처럼 새겨져 있던 굴레를 벗을 수 있게 해준 그 천사는 틀림없이 '된 사람'으로 내 앞에 서 있었다.

열아홉의 병아리교사가 그네들의 누이와 자매가 되어 혼신의 힘을 기울이고자 했던 초임지에서의 콤플렉스는 이렇게 신통한 마법으로 풀리게 됐고, 그게 나의 교육 항해에서 위기를 가져온 풍랑이 아니라 귀항을 하기 까지 내 힘으로 타고 넘은 자잘한 물살이었음을 토로하고 싶다.

지금 내 뇌리엔 삼십대로 만난 그날의 제자 모습이 아니라, 철부지 여덟 살짜리로 나와 희한한 인연을 맺어 감격으로 울먹이게 했던 그 ○○군이 예의 그 천진스런 모습으로 기분 좋게 웃고 있다.

사진 한 장 남아있지 않으면서도 말이다.

『수필문학』 2013. 1.

에미야

"에미야!"

어머님이 부르시는 소리였다. 이렇게 꿈으로 오신 적은 없었는데 흡사 생시의 음성이시다. 생전에 몹시도 아끼시던 겹 철쭉 옆에서다. 가을을 타면서 허해진 심기 탓인가. 머리맡의 메모지를 집어 든다. 잠자리에 들며 적다 만 장보기 스케줄이다. 어쩌면 코앞으로 다가온 합제(合祭)가 걱정이 되어 오신 건지도 모른다. 여직 일을 핑계로 허둥대는 며느리가 미덥지 않아 일침을 놓으려 오신 건 아닌지.

"에미야, 오늘은 나오너라!"

오월 중순 무렵의 화창한 대낮에 어머님의 분부가 떨어졌었다. 오뉴월에도 바람 든다며 뜨끈한 방에 갇혀 지내던 산모에겐 구세주 같은 부름이셨다. 처음 쐬는 외기에 마루 아래로 내려서는 순간 휘청했었지 싶다. 오랜만의 부신 햇살이기도 했지만 '에미'라는 호칭이 생경스럽고 부끄러운 탓이었다. 할머니가 엄마를 부를 때마다 수없이도 들었던 그 부름이 내게 이처럼 빨리 떨어질 줄은 몰랐었다.

어머님이 하사한 이 호칭 때문에 한동안 미묘한 감정에 몰입돼 있었던 것 같다. 이제 겨우 첫아이 출산이었던 신참 며느리에게 선불리 내리신 자격증(?) 같은 것이었거나, 자격 미달이지만 어여삐 여겨주시는 애칭일 거라 저울질하며 말이다. 뭐로 보나 매사 어설픈 며느리를 그리 불러주신 건 통 큰 어른의 결단이었음을 당시의 어머님 나이를 훨씬 넘어선 지금에서야 깨닫는다.

바깥채 마당으로 나섰던 그날 현기증을 일으킬 만큼 휘황한 꽃 덤불이 만개하고 있었다. 새 생명을 환영하는 오월의 축복이었을까. 철쭉 한 그루가 피워낸 아름드리 꽃 덤불이 눈이 부셨다. 분신을 품었다가 세상에 내놓은 초산부에게 베푸는 은총이라 여기고 싶을 만큼. 뱃속에서 줄곧 꽃 꿈을 꾸게 했던 갓난쟁이는 꽃나무로 둘러싸인 종가 고택에서 고성을 놓으며 첫 손을 기다리던 어른들께 흐드러진 철쭉과 함께 온 것이었다.

그런데 이웃들의 입을 타던 그 꽃나무가 사라지고 만 것이었다. 모골이 송연할 만큼 휑한 구덩이만 남긴 채 말이다. 어머님 가신 후에도 고택의 안주인인양 훤히 마당을 밝혀오던 충직한 식솔이나 진배없었으니 넋을 놓을 수밖에. 젤 먼저 어머님이 떠오른 건 당연했다. 대를 이어 보듬어 온 꽃나무의 부재가 그처럼 서러운 것인 줄 몰랐다. 고단했던 종가 며느리로 사시면서도 유별히 꽃을 아끼시던 어른께 도리가 아니었다. 그러기에 가신 후 긴 세월에도 철쭉 꿈으로 오신 건 아닌지….

4대 봉제사에, 큰 명절에, 정월보름서부터, 2월 영등, 한식, 단오, 동지까지 이어지는 큰댁 종부의 노역은 끝이 보이지 않는 숙제였음에 틀림없다. 딴 살림 초보 며느린 역사力士처럼 일을 해 내시면서도 꾸짖음 한

번 없으시던 종부의 그늘에서 마냥 태평세월일 수 있었다. 조청 고아 과줄 만들고 섣달 그믐날에야 들이닥치는 아들네에게 꾸덕꾸덕해진 취인절미 구워내시던 어르신. 마흔 줄을 넘긴 내 자식들이 지금도 잊지 못하는 할머니 손맛이라, 이것 하나는 붙들고 내려오지만 못다 한 도리에 가슴이 저리다. 손가락 헤일만큼 몇 날을 빼곤 객客일 수밖에 없던 난 염치없는 며느리였던 날이 더 많았다고 실토할 수밖에 없다.

어느 해인가 아들며느리 앉힌 자리에서 어머님이 합제를 하겠다고 선언을 하셨다. 중대사를 바꾸는 일을 며느리 대에서 저지르지 않게 하려는 요량이셨을 게다. 당신 대에서 단행하지 않음 쉽게 바꾸지 못할 거란 판단에서 그리 하셨음을 안다. 어머님 등 뒤에서 조수 노릇에도 못 미쳤던 며느리 걱정이셨음도. 충직한 종가 며느리셨기에 비장한 결심 없이는 할 수 없었던 일. 대소가 거느리고 평생을 해 오신 삶을 당신 대에서 그르친다는 생각에 마음은 또 얼마나 무너졌을까를 되짚어본다.

부엌문턱 넘으며 힘겨운 우물물 퍼 나르시다 그나마 상수도가 놓여 한숨 놓는가 싶을 무렵, 어머님 심신이 흐트러지고 있음을 알았다. 바로 지금의 내 나이 즈음이셨다. 새까만 새댁시절 진재-친정을 다녀올 적이면 멀리 큰 다리만 보여도 힘이 생겼다고 하시던 어른. 걸음 한 번을 떼지 못하는 지경에 이르고 말았다. 후덕하셨던 얼굴에 무표정이 담기고 깔끔하시던 입성이 보송한 날이 없어 적셔놓은 빨래거리를 주무르며 대책 없이 허물어지던 나. 일주일 겨우 한두 번에 불과했지만, 여섯 해로 이어졌던 뼈아픈 시간들이 회한으로 어지럽다. 병약한 어른께 늘어놓았던 푸념을 되짚어보니 내 마음 밭이 그렇게 황량했던가 싶어 심히 부끄럽고 부끄럽다.

며늘아이에게 '에미'라고 불러준 것이 근간의 일이다. 어머님께 그 부름을 들은 날에서 마흔하고 다섯 해가 더 흐른 세월이다. 그것도 전화로 그렇게 불러놓고선 잘한 일일까 가슴 두근거렸었다. 어머님이 하셨던 것에 비하면 발꿈치에도 못 미치는 도량인 셈이다. 올 추석을 준비하며 며늘아이가 더 살갑게 다가온 걸 보면 그 호칭이 주효했지 싶다. 내친김에 한 가지를 더 일렀다. 우리 저 세상 가거든 물 한 그릇만 떠놓으라고. 아니, 송편 한 접시, 떡국 한 그릇이면 된다고. 서울내기지만 어질고 착한 성정이라 진정으로 알아듣길 바라며 일렀다.

하지만 어머님이 하신 것처럼 내 생전에 달랑 송편 한 그릇 올리고 그리하라 가르치는 일이 가능할지 모르겠다. 이제껏 저 하는 걸 봐선 훗날 제 자식이 데려온 식구를 어찌 가르칠지는 걱정 않아도 될 것 같다. 제 수하의 사람을 알아서 분수껏 하리라는 걸 믿기 때문이다.

홀연히 생전의 음성으로 오신 어머님 전에 평소 즐겨 드시던 박고지 송이 나물을 올려야겠다. 성에 안 차는 며느릴 일찌감치 '에미'로 인정해 주신 은덕에 감사드리며 어머님 뒤를 따를 거라고 두 번 절 올리면서 말이다.

『한국산문』 2016. 1.

봄이 멀지 않습니다

인기척에도 아무런 응답이 없다.
마당에 올라서기 무섭게 반기던 진재골 선배님 댁. 문은 굳게 닫혔고 며칠 전 내린 눈에도 발자국 하나 찍히지 않았다. 함께 앉았던 마당가 벤치에 얼어붙은 눈이 한기로 엄습한다. 철철이 아름다운 수채화 한 폭이던 집이 오늘은 적막에 싸였다. 가을이면 첫 낙엽이라며 노란 후박 잎 두세 장을 건네던 선배시다. 가을의 전령사이던 그 후박나무가 덩그마니 서서 한겨울 빈 뜰을 지키고 있다.

마당을 내려와 뜰 밖의 우체통 앞에 선다. 집 앞을 지나며 길손마다 미소를 던지고 간다는… 안주인의 벗으로 간택되어 우체통이 새 각시 차림새로 온 건 지난 늦봄 즈음이었지 싶다. 그 사연을 알기에 주인인양 반갑다. 누군가가 써 보낸 손 편지를 간절히 받아보고 싶었을 선배님. 그걸 알면서도 여태 편지 한 장을 드리지 못했다.

범사에 해박하고 젊은이들을 능가하는 영민함에 결코 흘러들을 얘기는 않으신다. 애독자를 자처하며 언제면 책을 묶을 거냐고 물어올 때마다 어정쩡한 대답으로 일관해 왔었다. 애정 어린 채근인줄 알면서도 그거야 말로 장담할 수 없는 일이기에 말이다. 성품 또한 진중하셔서 응석조차 조심스러울 때가 있지만 탈고할 때면 제일 먼저 글을 보여 온 터라 인사를 겸해 신년호를 들고 쫓아온 길이었던 것. 이 죄송스러움을 어찌 다스려야 하나.

지난여름, 합창 연습이 끝난 후였나 보다.

"오늘 걸음이 마지막일 것 같네요." 이제껏 함께 해 오면서도 한 번도 들어보지 않았던 말이다. 목숨 다하는 날까지 노래하고 싶다던 분이기에 뜬금없는 이 말이 믿기지가 않았었다. 가을날 선배님 댁을 찾았던 날도 마당 안은 잡풀 한 포기 찾을 수 없을 만큼 아늑했었다. 기름칠을 해놓은 양 비단결인 뜰에서 잔웃음 섞으며 의연했던 터라 맘 놓고 돌아설 수가 있었던 것인데.

유선을 타고 온 수일 전의 음성이 떨리고 있었음을 비로소 깨닫는다. 예후를 여쭙기가 조심스러워 곧 방문하겠다는 언질만 드렸던 것. 세 번이나 재발한 투병에도 굳건히 이겨낸다며 모두들 추임새만 넣을 줄 알았다. 선배님 극기가 가히 놀랍다면서 말이다. 그 가을날, 듬성해진 반백의 모습이며 태연하려 애쓰시던 말을 놓치지 말았어야 했다.

"이만큼 살았는데 무얼 더 욕심내겠어."

초연해 보이려는 의중도 모르고 건성으로 흘려들은 불찰이 크다.

진재골 노부부의 둥지가 데이지 향기로 아른대는 오뉴월은 꿈만 같은 요람에서 요동치는 기쁨을 안고 돌아오곤 했었다. 흔들면 쉽사리 떨어질

모과를 굳이 장대로 따는 수고를 마다 않았고 꽃씨봉투를 여럿 만들어 나누기도 했었다. 뒤란 서늘한 육각정에 앉으면 나지막이 자리를 튼 숙근초며 야생화가 한눈에 들어와 선경이라 할 만한 곳. 메조소프라노의 청아한 드맑음이 빼어나게 아름다운 선배님은 글 쓰는 아낙이 계절을 놓치고 살까봐 무시로 불러내셨던 게다. 글줄 술술 풀리게 하려는 의도였을 터이다.

소박한 차 한 잔을 마주 하고 속내를 털며 정갈한 삶을 들여다보는 동안이면 내게도 자잘한 빗살무늬 한 금씩 그어지고 있음을 알았다. 겸허한 울림으로 오가는 대화에 가슴 따뜻했고 수수한 차 한 모금이 호사스러웠다. 비우고 채우는 일이며 겸양의 덕을 소리 없이 행하면서도 그 여분을 어김없이 나누어야만 하는 분. 청량한 물소리이듯 순리를 지켜가는 불심까지 귀동냥으로 듣고 배우며 선배님 특유의 향기를 맡아왔었다.

항암치료 직후에도 젊은 후배들이 무색할 만큼 합창봉사의 선두에 서 오셨다. 주치의가 권고한 음악치료이기도 했지만 하모니의 극치를 이루는 주력 멤버로 진력해 온지 어언 7년에 이르렀다. 화음으로 어우러지는 순간이 너무 행복해 한 주를 기다리기가 여삼추 같다고 읊던 분. 그날 마지막이라며 불렀던 애창곡 '추심秋心'이며 노사연의 '바램'이 귓가를 맴돈다. 너무도 시린 환청에 가슴이 떨린다.

청솔 짙푸른 앞산을 내다본다. 자택 뒷산의 노송은 이 겨울에도 여전히 푸르다. 오붓한 뜰 안을 꽃으로 채우는 것도 모자라 철따라 꽃길을 차려놓는 결 고운 선배님. 부디 이 뜰로 돌아오셔야 하리. 마른 가지에 물오르면 파릇한 봄이 이 골짜기를 생기로 적셔 선배님 뜰 안에도 조롱조롱 푸른 노래가 열리리라. 올해도 집 앞을 지나는 길손들은 안주인이 건네는 앵두 한 움큼 받아들고 함박웃음을 지어야 하지 않을까.

'그래요 우리 선배님, 기운 차리시고 벌떡 일어나 언제든 부르시면 지체 않고 달려오리다!'

병상에서 미망의 겨울을 보내고 있을 선배님께 편지를 쓴다. 간곡한 기도의 마음을….

선배님, 일어나셔야 합니다.
봄이 멀리 있지 않습니다.
제 글 기다려 주셔야죠.

단 석 줄의 쪽지 한 장을 빨간 우체통에 넣고 돌아선다.

『에세이피아』 2016. 4.

제4부

쉬엄쉬엄 물드는 길

귀동냥 중
까치놀
뭐하세요
곰솔 밭에서 듣다
청정도량이 여기
집콕 살이, 이만하면
스무 살 절친
에움길에서
가을 배웅
무화과 향이 사랑이고 그리움인 까닭

멀리 돌아서가는 길인 줄 알면서도 기꺼이 들어선 길.
내 삶의 길이 어디서 끝날지는 몰라도
이대로 많은 것들을 품고 갈 생각이다.

귀동냥 중

바람에 흔들리는 온갖 기화요초가 부처님의 춤사위라 하더이다.

바람 한줄기도 붓다의 몸짓이라는 말씀입니다. 궁극의 깨달음에서 왔다는 선시禪詩에 꽂혀 법당 구석자리에서 듣는 귀동냥이 실로 가경입니다. 안개 속이듯 헤매면서도 막힘이 없는 경계, 그 시적 영감이 환희로, 거센 물살처럼 덮쳐오기도 합니다. 나완 상관없다고 여겨왔던 곳. 옳은 불자도 아니면서 법문자리에 풀 방구리 쥐 드나들 듯. 참말 희한한 일입니다.

그러잖아도 어인 일로 절간 출입이 잦아졌냐는 군소리가 따갑습니다. 생전 않던 짓이니 무슨 사단이라도 났나 싶어 남정네의 심사가 말이 아닐 겁니다. 이 나이에 온 반쪽의 심사조차 헤아리지 못하는 아둔함이라니. 매양 그러니까요. 세월에 쌓인 더께로 마음 가누는 일이 쉽잖아 대충하는 귀동냥으론 어림없지 싶군요. 어쩌다 나선 걸음이 그만 내친걸음이 되고 말았습니다.

어려서부터 절집과는 친하지 못했습니다. 눈을 부릅뜬 사천왕상이 무서워 절문 들어서기가 적잖이 무서웠지요. 요란스런 단청에도 쉽사리 정이 가지 않았고요. 그야말로 사찰과는 멀찌감치 비켜있었던 셈입니다. 기도며 불사佛事에 목숨 바치듯 열심인 불자들 모습은 제게 생경스런 민화民畵처럼 비쳐졌답니다. 짙은 색조로 칠해진 원색 위주의 그림말입니다.

청정도량을 지켜보는 자리에 나무 한 그루로 서는 게 소원이라는 시인이 있습니다. 내세에도 사람으로 태어나 수행자가 되겠노라는 한 선배 역시 '산부처'라 이르지요. 글감을 얻어 보라는 부추김이 끈질겨 끝내 마다할 수가 없었네요. 호락호락 않는 후배 맘 후리기가 쉽지 않았을 텐데도, 후배 바람잡이(?) 노릇 참 무던히도 했습지요. 어느 날 나서게 된 암자 행. 콧수건 달고 엄마를 따라나서던 입학식 날처럼 흡사 그랬습니다.

학승이 계시다는 도량은 어찌나 소박하던지. 유월 초입, 초록의 가람을 흔드는 풍경소리는 또 얼마나 맑았는지요. 청량함으로 따지자면 주지승의 혜안이 더 맑게 읽혔지 싶습니다. 조촐한 모양새로 앉은 암자에 안기는 순간 모두를 날려 보냈습니다. 천연덕스레 스님께 귀동냥을 청했었지요. 야릇하게도 돌아오는 길이 기뻤습니다. 한국불교계를 떠나겠다고 한 푸른 눈 스님에게 격하게 공감했던 여인네가 말입니다.

불가의 이름을 갖지 않아 예불에는 있는 듯 없는 듯 섞입니다. 법석 한 귀퉁이에 자릴 얻고 나면 귀동냥 주머니에 스님의 법어가 담깁니다. 선시에 취할 때는 무릉도원이다가도 어쩌다 천근의 무게로 실릴 땐 도리없이 휘청거리지요. 남루한 삶의 궤적 때문이거나 좁쌀 뒤웅박만한 제

그릇 탓이기도 할 겁니다.

세속의 객을 가상히 여기신 걸까요. 스님이 이따금씩 물으시지요. 선방 근처라곤 못 가본 대답이 신통할 리 없습니다. 동문서답이 부끄러워 얼굴 붉히다가 아득해 하다가, 그러다가도 다가가 보면 빙긋거릴 때가 있더이다. 죽을 만큼 힘든 비감도, 고뇌도 순리로 새겨야 함을 어렴풋이 알아가는 중에 있습니다. 사람이 곧 부처인 것이고 이 세상 어디든 도량 아닌 곳이 없다고 하시니까요. 깨달음의 주체는 바로 나, 내가 있는 자리는 어디든 도량이라는 것이지요. 나름으로 지키려 했던 신념의 일치가 늘그막에 든 아낙을 붙들고 놓아주질 않습니다.

헌데, 불명佛名을 받으라는 채근이 시작됐네요. 법문을 베푸는 선자仙者는 여여하신데 불자들의 성화가 더 난감합니다. 법명을 얻는다고 당장 무엇이 달라질는지. 동냥아치에게 적선을 베풀었으니 어서 갚으라는 얘기가 아니었으면 합니다.

살아있는 목숨 치고 동냥아치 아닌 것이 없다고 합니다. 그렇다면 중생만큼 이골이 난 동냥 꾼이 또 있을까요. 뱃구레 늘리는 데는 능사이면서 정작 마음동냥은 우습게 여기는 세상. 귀 기울여 들으면 바람소리 물소리, 하물며 목숨이 깃들지 못한 무정물無情物까지도 깨달음이거늘 귀에 대고 지르는 고함을 듣지 못한데서야. 이 세상이 귀만 막고 살지 않았어도 이 지경까진 오지는 않았을 테지요. 소귀에 경 읽듯이 흘려들은 죄악이 클 수밖에 없습니다. 만신창이가 된 모습들을 보기가 심히 민망스러운 시절을 살면서, 나 또한 노욕老慾을 부리고 사는 삶이 아닌가 싶어 옷깃을 여밉니다.

어설프긴 해도 마음그릇을 채우며 생각합니다. 귀동냥 알뜰히 쓸어 담아 마음 밭 다부지게 갈자고요. 굳은 땅 갈아엎기가 그리 쉽겠습니까만, 이왕이면 깊숙이 갈아엎어 보기 좋게 이랑도 지어야 하겠습니다. 법문 한 톨 귀한 보람으로 틔워 잘 키울 거구요. 비우고 내려놓는 일에도 거리낌이 없어야 할 테죠.

열어젖힌 암자 법문자리에 초여름이 들어앉아 산 뻐꾸기 울음이 구성집니다. 바람도 한결 순하고요. 그러고 보면 너울거리는 초목들만 설법을 하는 게 아니군요. 이 헐거운 중생을 한없이 출렁거리게 한 오늘의 설법은 산 뻐꾸기와 순한 바람이 한몫씩 거들어 점입가경입니다.

귀동냥 중인 이 객도 무언가 오지게 거들고 나서야 할 참입니다.

『한국산문』 2017. 8, 제24회 「창작수필」 문학상

까치놀

바이러스 횡포에 오그라들었던 가슴을 연다.

시야에 들어오는 바다가 오늘따라 짙푸르다. 간만의 외출에 봄빛마저 상큼하여 마음도 쾌청이다. 멀리서 희끗희끗 파랑이 인다.

아, 까치놀! 그렇지, 까치놀이다!

흰 갈기 나풀거리며 수천, 수만 필의 말이 군무群舞를 펼치며 달려온다. 얼마나 기다렸던가. 오매불망이던 백두파가 어깨춤 들썩이며 장엄한 퍼레이드를 펼치고 있다. 잃어버린 봄날을 보상이라도 해 주려는 것일까. 이처럼 극적인 순간을 조우하게 될 줄은 정말 몰랐다.

수년 전 국문학자 이익섭 교수님이 건네준 산문집에서 '까치놀'을 처음 알았다. 우리말 탐사에 나섰던 대학 시절, 전국 해안을 누비며 어렵사리 어원을 찾아냈다는 까치놀은 우리의 옛말 '가티널'을 백두파白頭波로 해석한 데서 온 것이라 했다.

국립국어연구원장과 국어심의회 수장을 지냈던 교수님은 '까치놀'을

'먼 바다에서 희끗희끗 잔물결을 일으키며 달려오는 파도'라고 정의했다. 까치놀! 그냥 한 번 뇌어 보는 것만으로도 얼마나 좋은 우리말인가. 순간, 어렸을 적에 모래밭에서 바라보곤 했던 새하얀 파도 떼가 바로 이 주인공일 거라는 생각에 사로잡혔다. 파도의 몸짓은 내게 말을 걸어오는 누군가였고 내 몸 구석구석 어디에선가 야릇한 힘을 생기게 하는 무수한 신호들이었음에….

문제는 지금 우리의 국어사전이 중대한 오류를 범하고 있다는 사실이다. 사전을 들춰보면 '바다 수평선에서 석양을 받아 번득거리는 빛'이라고 까치놀을 풀이하고 있다. 이는 명백한 잘못이라는 것. 이를 바로 잡아 제자리로 앉히는 일이 숙제라는 말씀에 권위 있는 국어학자의 고뇌가 읽혔다. 순간 나도 모르게 튀어나온 말은, "까치놀로 글 한 편을 쓰겠습니다."였다. 엉겁결에 약속 하나를 하고 만 것이다. 그땐 무슨 일이 있어도 꼭 해낼 거라는 결기에서였지 싶다.

서너 해가 흐른 후에도 실행에 옮기질 못했다. 그때 기대하겠노라는 대답을 주셨던 걸 생각하면 분명 면목 없는 짓이다. 교수님은 아마도 고향의 실없는 문인이 엉겁결에 뱉은 말일 거라고 포기했을지도 모른다. 자주 드리던 메일도 휴무 중. 대략 난감이다.

동해안 가까이에 사는 터라 바다를 자주 본다. 그럴 때면 으레 밀린 숙제를 풀듯 해수면을 주시하지만 무심한 바다는 너울로만 일렁일 뿐이었다. 시원한 물보라를 일으키며 뒤척이길 좋아하던 바다는 멍석을 깔아 놓아도 감감 무소식. 해수면은 잔잔할 때가 더 많아 호수를 방불케 했다. 바다로 쓸려나간 모래를 퍼 올려 모래밭에 붓는 준설작업으로 수심이 깊어진 탓이란다.

부서지는 파도를 보고 싶어 멀리서 찾아오는 손님들은 어떡하라고? 가슴 속 앙금을 털어내려면 바다는 몸부림을 쳐야 하거늘. 희한하게도 억지 심사를 품기가 몇 번이던가. 고의로 약속을 방기放棄한 위인이 되지 않으려 주문진 본가를 드나들 적이면 훤한 도로를 두고 해안도로를 택하곤 했다. 주인공의 출현을 기대하며 말이다. 어쩌다 희끗한 파도를 볼 때가 있어 긴장하다보면 그조차도 머리카락 날리는 정도였으니….

예정에 없던 외출에서 횡재를 한 날이니 흥분할 수밖에 없다. 달뜬 기분일수록 차분해져야 하리. 과테말라 두 잔을 시켜놓고 동행에게 까치놀 일장 설을 늘어놓는다. 선배의 심중을 알아챘는지 맞장구를 쳐주는 후배가 고맙다. 아름다운 우리말을 알게 된 감격의 날이라고. 자기도 이처럼 기쁠 수가 없다고 한다.

눈앞의 경포 바다는 여전히 경쾌한 해상 무도회를 연출 중이다. 그토록 오래 기다려왔으니 눈요기 실컷 하고 가라는 뜻이겠지. 미풍에 춤을 추는 까치놀이 늙은 여인네 가슴을 헤집고 들어온다. 진한 커피 맛이 그야말로 엄지 척!

바닷가로 나와 모래밭에 선다. 기다려준 시간이 길었던 탓인지 신명난 난타를 연주하는 바다가 이처럼 고마울 수가 없다. 먼 바다에서 떼를 지어 달려오는 까치놀이 코로나로 목숨을 잃은 영혼들의 손짓인 것만 같다. 핑그르 눈물이 돈다. 시조 두 수를 메모해 둔다.

봄 바다 마중 길에 까치놀이 이는 구려

해원海原이 펼쳐내는 수만 필의 준마 행렬
흰 갈기 흩날리면서 아름다이 오시네

봄기별 안고 오는 눈부신 춤사윈가
청치마 흰 적삼에 손수건 흔들면서
고운 님 얼싸 안으러 덩실덩실 오시네

― 졸시 〈까치놀〉 전문

이걸로 교수님과의 약속이 지켜졌다고는 생각하지 않는다. 두 번째의 조우를 염원하며 손짓하는 바다에서 돌아선다. 오늘의 감사를 스러져간 수많은 영혼들에게 바치고 싶다.

『한국산문』 2021. 12.

뭐하세요

오래 전부터 별러오던 국화 따기를 결행한 날은 단비도 내렸겠다, 중간교정이 온통 노란 물감으로 칠해버린 듯 눈이 부실만큼 화사했었다. 가을 날씨답지 않은 장기간의 고온 행진으로 노란 국화가 달포를 넘기며 피고 있었고 봉오리를 여는 국화송이가 지천이어서 때를 놓치면 '국화차' 계획은 아예 없던 일이 돼버릴 것만 같았다.

전 해에 교정을 새로 정비하면서 학교 뒤뜰에 자생하던 국화를 옮겨와 조성한 국화 밭이 너비 2미터에 100여 미터는 족히 됐었다. 멀찍이 대관령을 올려다보고 동해를 지척에 둔 까닭인지 정갈하고 때깔고운 자태가 바라보는 걸로도 흐뭇했고 국향 역시 더할 나위가 없었다. 여느 해보다 길게 느껴졌을 가을 절기, 아이들 마음은 국화 밭을 떠나 널찍한 운동장으로 향하고 있던 터라 꽃송이 좀 축내는 게 그리 과실은 아닐 거라는 계산이었다.

바구니 둘을 집어 들었다가 과욕인가 싶어 하나를 내려놓고 국화 밭에 들어섰다. 봄날에나 어울릴 듯싶은 화창한 늦가을은 널찍한 화단에 꽃

둥지를 튼 채 물빛 하늘을 이고 상큼한 바람결과 어울리는 중이었다. 이순을 훌쩍 넘어선 나이에 그처럼 가슴 벅찰 줄이야!

난생 처음 시도해보는 국화차는 순전히 내 알음으로 하는 것이어서 작정한 순간부터가 내겐 신비로운 미션이었던 거다. 진한 연둣빛을 품고 갓 피어나는 국화송이를 따낼 적마다 방긋거리며 바구니에 올라앉는 꽃빛이 매순간 무아경이었던 것. 꽃봉오리가 피어나는 순간, 꽃술에 갇혀 있던 향기가 일순에 터져 나와 눈도, 코도 마냥 즐겁기만 했다.

'철부지 같은 소일거리로도 천국에 쉽게 닿는데 비우고 버리는 일을 왜 그리 힘들게 할까?' 난 화동花童이 된 기분이었고 치열한 삶, 일상 따윈 저만치 잊어버리고 있었다. 하늘엔 실타래 구름이 물살처럼 흐르는데, 문득 진달래를 따느라 집 뒷산을 헤집던 기억이 전율처럼 되살아났다. 진달래 화전을 지져주던 언니 옆에서 봄마다 겪었던 유년이며 마지막 몸담은 교정에서 국화를 따며 아잇적으로 돌아갈 수 있었으니….

교단 생애 마지막 해여서 더 황홀하고 행복했던 늦가을! 저만치에서 기다리고 서있는 겨울에게 자리를 비켜주기 싫은 듯 그해 늦가을은 국화밭 언저리에서 오래도록 주춤거리고 있었던 거다.

"뭐하세요?" 귀에 익은 목소리였다. 내가 쓰는 방을 제방 드나들 듯 하며 거침없이 질문을 쏟아내는 천사 아이. 어떨 땐 귀찮다 싶을 만큼 똑같은 질문에 곤욕을 치르기도 하지만, 순수함이 대견스럽고 고마워 전교생 중 가장 교류가 잦은 천사로 통했었다.

"국화차 만들려고 그러지." "국화차? 무슨 국화 차?"

아이가 늦가을 꽃밭에서 국화를 따는 내 옆에 폴짝 날아와 앉았다. 궁금해 못 견디겠다는 표정. 쳐다보는 눈빛이 그렇게 맑을 수가 있을까.

"그래, 이렇게 좋은 가을날이 날 홀렸구나. 다 늙은 사람이 꽃바람이 났어요!" 천사가 알아듣지도 못할 대꾸를 날리고 다시 일손을 놀리는데 그 아이 때문인지 난 참말 꽃바람 타고 두둥실 날아가는 풍선이 되고 있었다.

그날, 화단 가를 지나치며 질문을 던지던 아이들 역시, "교장선생님, 뭐하시는 거예요?"였고, 대답해 주는 내 눈과 마주치고 씩 웃고 달아나는 녀석들 때문에 그 날은 분명 내 생애 최고의 가을날이었다.

그날 이후 하얀 면 보자기 위에서 살짝 김에 쐬어 늦가을 볕에 말려졌던 노란 꽃차는 커피 맛에 익숙해져 있었던 학교 휴게실에서, 국화차에 심취해 있는 모 원장님 집무실에서 귀하디귀한 매무새가 되어 다탁에 오르곤 했다. 교단에서의 마지막 가을을 챙겨 헌정했던 다석茶席. 소박하지만 따스하고 감미로운 온기가 감돌아 퇴임을 코앞에 두고 있었던 내게는 우아한 의식을 치르는 심경이었음을 고백한다.

국화차를 우린다. 여태까지 그해 가을의 국화차를 보관해오며 국향을 음미하곤 한다. 여러해 전 순수의 노랑너울로 호사스런 가을을 선물했던 그 국화 밭을 떠올린다. 작은 천사가 내 거동에 미묘한 관심을 갖게 했던, 지금은 기억 속의 꽃밭. 이미 여러 해를 지나 있는 그 교정엔 지금도 국화가 피고 있을까.

문을 밀고 들어서며, "뭐하세요?"를 입버릇처럼 뇌던 아이! 사탕 한 알 입에 물려주고, "뭐하긴, 국화차 마셨지!"로 응대했었던 그해 가을날! 내 생애 최고로 행복했던 가을이 아니었을까.

『한국수필』 2014. 10.

곰솔 밭에서 듣다

바닷가 해파랑 길에서 깊숙한 곰솔 숲으로 든다. 와락 안겨드는 소나무 떼의 숨결이 싱그럽다. 눈을 감았을 뿐인데도 몸속을 들고 나는 무수한 신호들. 그냥 듣고만 있어도 좋다며 아름드리 해송은 말을 걸어온다. 쌓인 응어리 모두를 훑어내라고. 가벼워지고 싱싱해지라고. 숲과의 대면으로 무아경이 되는 순간이다.

몇 해 전 설해를 입었을 땐 마냥 가슴 아리더니 어느새 몸피를 불려 하늘을 가릴 만큼 너른 품을 지녔다. 거칠게 갈라진 수피에 이리저리 굽은 둥치가 잘 뻗은 금강송에 비할까만 동절기만 되면 쩍쩍 갈라지던 우리네 어머님들 손등 같아 더 정겹고 친근한지도 모른다. 이만큼의 세월을 견디어준 것이 어찌나 고맙고 미더운지. 쉽사리 달려 올 수 있는 거리인데다 트인 바다를 안을 수 있어 편안해 지는 곳. 청량한 숲을 마시며 나를 들여다보고 다독인다.

수십만 시민의 호소가 국민청원으로 빗발친 적이 있다. 명품 송림이라 일컬어온 이곳 해파랑 숲이 허리가 싹둑 잘려나갈 판국. 이곳에 매머드 관광시설을 앉힐 생각이었다니 될법한 소리였는지. 바닷바람을 온몸으로 막아내며 6,70여년을 버티어온 효자 숲을 관광이라는 미명하에 바꿔치기할 수는 없는 노릇이었다. 어느 투자자의 흑심이 어떤 경로로 개입됐는지는 몰라도 분기탱천의 심정으로 청원에 참여하기는 처음이었던 거다.

세인의 주목을 받으며 이 게임이 시민의 승리로 돌아간 건 당연했다. 이 쾌거는 개발에만 연연했던 무모함을 일거에 날려버린 통쾌한 홈런이었다. 천연림의 생태와 숲의 가치를 조금이라도 헤아릴 줄 알았다면 그 어이없는 발상이 나왔을까. 행여 이 자연림에 눈독을 들이는 우를 다시는 범하지 않기를 바랄 뿐이다. 이후 더 진한 사랑을 받게 된 우리들의 '숨터'는 명성 못지않은 연중무휴에 녹색 에너지를 방출하느라 삼백 예순 다섯 날을 여념이 없으시다.

코로나 등쌀에 세상이 거꾸로 돌아가는 형국에 와 있다. 끝을 모르고 치닫는 난국이라 막막하고 두렵기만 하다. 울타리에 갇히고 만 인류는 어디든 쉴 곳을 찾아 나서느라 전전긍긍이다. 그러나 해답은 명백하지 않은가.

피안의 경지가 따로 있을까. 여기 곰솔 밭을 지키는 사람들은 안다. 심호흡 몇 번이면 선인의 경지에 와 닿음을. 거기에 나무가 들려주는 메시지를 들을 수 있어 숲 사랑, 숲지기의 반열에 오르는 건 마음먹기에 달렸음을. 목소리를 낮추면 소음에 그을렸던 귀가 절로 열려 나무의 언어가 가슴으로 쏙쏙 들어온다. 나무의 마음을 읽어내고 노래까지도 들을 수 있는 건 숲의 정령이 그렇게 가르치고 안내하기 때문이다.

이날따라 치유의 발길이 줄을 잇는다. 마음이 아픈 이에게는 위안을, 그리움이 많은 이들에겐 동행이 돼 주는 숲이 고마워 저마다 푸근한 미소를 날린다. 향긋한 솔바람은 어렵사리 걸음을 한 환우에게 다가가 나날이 건강하라고 추임새를 넣고, 고성방가에 가무가 용납되지 않음을 너무나 잘 아는 터이며 숲의 환희를 일깨우는 명품 송림이 더없이 고마운 까닭이 아니겠는가.

생태문학의 고전인 소로우(Henry David Thoreau)의 '월든'을 읽을 땐 지구별에 심각한 제동이 걸리리라고는 예상하지 못했다. 호숫가에 지은 오두막 한 채로 자족의 삶을 살았던 자연주의 방식이 동경의 대상이 되었을 뿐, 그의 소박한 삶이 오늘의 지구인들에게 무엇을 경고하고 있었는지를 정말 몰랐었다. 2년 2개월 여를 자급자족하며 최소한의 물자로 자연주의를 실천했던 소로우! 지금까지 우리 인류가 수없이도 저질러온 필요 이상의 소유와 소모가 심히 부끄럽다.

기상천외의 능력을 과시하는 인공지능 시대라며 불가능은 없다고 말하지만, 인간에게 풀 한 포기, 나무 한 그루를 대신할 수 있는 탄소중립의 능력은 주어지지 않았다. 물신주의에 빠진 인간의 소비 행태가 삶터를 이 지경으로 몰아갔으니 마땅히 지탄받을 일이다. 창조주에게 변명할 여지가 없으니 이를 어쩔 셈인가.

이럴 땐, 늦었다고 여겼을 때가 가장 빠른 시기라는 말을 빌려올 수밖에 없다. 우리에게 곳곳에 쉼터가 건재하고 있음이 다행스럽다. 울창한 숲이 아니면 어떤가. 누군가에게 심겨져 잠시 쉬어갈 수 있는 나무그늘

이어도 좋고 함께 가꾸고 보듬는 수풀이면 더더욱 감사할 일이다.

염치없이 받기만 해온 우리네의 삶. 이 파렴치에서 벗어나려면 자연물 하나하나, 나무 한 그루에까지 정성을 들이는 실천이 뒤따라야 하지 않을까. 나무의 몸짓, 숲의 표정까지도 읽어내는 냉철함으로 이제는 사람이 베풀어야할 때임을 명심할 일이다.

곰솔 밭에 바람이 살랑거린다. 단골로 찾아주는 노객의 심사를 알아채기라도 한 것일까. 빠끔히 열린 사이로 한 뼘의 하늘이 내려와 앉는다. 나도 다리를 뻗고 솔가리에 엉덩이를 붙인다. 흰 갈기를 나풀거리며 달려오는 파도가 님이 듯 반갑다. 이보다 더한 호사가 있을까. 솔밭을 휘돌아 나온 바람결이 내 귀에 대고 속삭인다. 행복하지 않느냐고…

튼실한 곰솔 한 그루를 두 팔로 안는다. 장정인양 듬직하다. 나무는 근심하지 말라며 위로를 보낸다. 고맙다는 응답을 하고 돌아서는 내게 손을 흔드는 곰솔 밭. 당부할 말이 더 있어서인가.

이 땅의 산하는 너희가 주인이니 목숨처럼 아끼고 지키라는 말!

내가 곰솔 밭에서 들은 메시지다.

『산림문학』 2021. 가을

청정도량이 여기

“고정 관념을 벗겨주셨으니 감사합니다.”

청정도량에서 날아온 스님의 답신이다. 선방 뜰아래로 핀 오방색의 백일홍에 취했다가 한 컷 담았었다. 앵글에 잡힌 그림에 예기치 못한 경이로움이 연출됐다. 선방난간 좌우에서 환한 춤사위를 벌이는 꽃의 향연인 것이다. 스님 인기척에 생기를 더했음인가. 고적한 암자에서 화엄의 경지라도 오갔단 말인가. 처음 대면에선 꽃 대궁이 하나 못 올릴 것 같더니만 파릇한 풀 돗자리를 깔고 화들짝 꽃이 웃는다. 거름기라곤 없는 풀밭에 꽃모를 옮긴 어느 도반의 기도가 통했음일 터.

그림을 키워보니 선승 처소로 오르내리는 나직한 문간이 절묘하게 클로즈업되었다. 꽃밭 사이에 머무는 적요. 수행의 발길이 수없이도 오갔을 자리다. 퍼뜩 학승을 우러르는 문도門徒들의 단심丹心일 거라는 생각에 ‘○○암 불자들의 불심’이라는 제목을 달았다. 스님의 고정관념이 무엇이었는지 궁금하지만 결례를 염려했던 속인에게 선뜻 대답을 주신 것으로도 기막힌 은전이라 여긴다. 초심자이기는커녕 그 언저리에도 못 가본 이방인이 참 도량임을 깨닫게 되는 순간이다.

'바쁘다'를 노래처럼 흘리고 다니는 사람이 삼복염천을 '마음동냥'으로 정한 건 이변임에 틀림없었다. 암자에 처음 들던 날, 절집의 소박한 차림새에 놀랐고, 풀밭 마당에 놀랐었다. 잡초제거제 하나면 해결 될 일이 용납이 안 되는 곳. 스님 한 분 울력으로는 어림없지 싶어 방도를 여쭙는데 해맑게 웃으신다. '이만큼 공들이면 됐지, 함께 살아가는 도리를 모르겠느냐'는 의중이신 듯. 예불 빼고는 종일 연장을 들고 지내는데 도리가 없지 않느냐고. 땀 흘리는 노역勞役이 참선을 앞지르는 수행이란 말씀으로 들린다. 정작 붙들고 있어야 할 글밭은 포기하고 뜬금없는 암자행이 심심찮은 요즘, 희한한 도량도 있다 싶다가도 반전의 깨달음은 오히려 깨우침으로 오는 것 같다.

어깨너머로 하는 내 예불참여는 순전히 수박겉핥기 식이다. 무릎사정으로 손 한번 모으고는 스스로 최면을 건다. 난 불자 못되오니 법문 귀동냥으로 족하다고. 저러다 그만 두고 말 사람으로 보일 텐데도 내게 오는 시선들은 살갑다. 말문도 트지 못한 두세 살 배기가 엄마 치마꼬리를 붙잡고 절간으로 따라온 격이니 말이다.

한 젊은 도반이 절을 수없이 해야 하느냐고 의아해 했었다. 나처럼 힘들었던 걸까. 정심正心이 되면 저절로 그리 됨을 설파하는 원로보살이 근엄하다 못해 추상같다. 불심 하나로 지탱하는 몸이기에 부처님 전의 기도가 사무치도록 간절한 내력을 안다. 범접하기 어려운 에너지가 어디서 오는지도.

목탁소리 듣고 큰다는 방울토마토가 점심 공양에 소복이 오른다. 농약 한 방울 치지 않아 저잣거리의 때깔 고운 상품은 아닌데도 유독 사랑을 받는다. 스님 공덕이라며 금세 동이 나는 걸 보면 청정도량의 불자들이 맞다. 소탈한 소통과는 달리 수행에는 서릿발 같은 엄격함에 텃밭 작물은 스님의 법문을 대하듯 소중히 모셔진다. 어느 날은 자비로운 그 방울토마토가 내 몫으로 안겨져 집으로 오는 길이 마냥 들뜨기도 했었다. 유년에 잔칫집 떡 봉과를 받아오던 기쁨이 이랬을까.

오신채五辛菜라곤 기미조차 가지 않은 공양 식을 함께 하고, 작은 것을 크나큰 기쁨으로 나누는 걸 본다. 불당 공양은 경쟁하지 말고 최소한 줄여서 하라는 엄명이 떨어져 공양간에선 신중하면서도 늘 정성이 깃든다. 돌아가면 식구들 입맛에 맞추느라 갖은 양념으로 밥상을 차릴 불자들이 선식을 보약 여기듯 하는 걸 보며 미천한 과객이 그때마다 하나씩 배움을 얻어간다.

시인의 꽃고무신 보시가 있던 날은 도량 경내에 꽃나비 떼를 풀어놓은 양 화사했다. 지독한 열대야를 이겨가며 그려낸 수십 켤레의 꽃신. 당신의 시만큼 고운 보리심으로 피어나 경내 곳곳에 나풀나풀 날아올랐다. 밤사이에 핼쑥해진 노시인 공덕에 무량한 세월을 건너와 이처럼 꽃나비가 되는 사연을 이곳의 불자들은 알고도 남으리라.

단청 한 줄 올리지 않은 도량에 오늘도 백일홍이 대신하여 고운 꽃물을 들인다. 글감을 얻어 보라는 권고에 불심 깊은 선배 두 분께 묻어서 동행에 나선 길. 폭염에 글 한 줄을 쓸 수 없어 일탈을 감행한 끝에 미미하나마 '마음동냥'은 얻은 셈이다. 불가의 가르침이 여느 진리와 다를 바없음을 알아가며 우리 삶에 절제가 필요함을 절감하기에 이 여름을 고마워해야 할까 보다.

백일회향 헌시獻詩도 뿌리치고, 간곡히 청하는 외식공양 마저 손사래를 치는 '○○암' 스님. 보살경지에 이른 노불자도 어쩌지 못하는 청정심 학승이 바로 여기에 계신다.

『한국수필』 2016. 11.

집콕 살이, 이만하면

좀비 바이러스에 세상이 요상하게 돌아간다. 우리 인간이 이리도 무능했던가. 활개를 젓고 다녀야 할 바깥세상을 반납하고 사는 지 한 해가 다 되어간다. 입마개를 해야만 문 앞이라도 나설 수 있으니 너나없이 누렇게 뜬 외계인이다. 립스틱을 발라본 지가 언제 적이던가. 젊은이들 상큼한 웃음을 본지도 까마득하다.

몇 발짝만 나서면 쉼터이건만 나뭇잎 모두 져버리고 삭막해지고 나면 도리 없이 갇히고 말 터이다. 숨 쉬는 일조차 버거운 시절을 사는 운명. 무채색 난국에서 탈출하려면 무엇이든 방편 하나쯤은 지니고 살아야 할 것 같다.

아파트 살림을 시작하면서 늘 눈에 밟히던 것이 본가에 두고 온 빗자루 국화였다. 아름드리 포기를 따라 줄기 가득 꽃 덤불을 이루는 이 야생화로 얼마나 근사한 가을을 보냈었는지. 귀족 태가 완연한 고가 화훼류가 아무리 걸출한들 무슨 소용? 바지런하지 못한 주인 탓에 어쩔 수 없이 밖으로 내쳐야 할 땐 공연히 심란하기만 했다. 죄 없는 목숨들이 오죽이나 서러웠으랴.

그러노라니 내 집 베란다엔 손쉬운 야생분이 하나둘 들어앉게 됐다. 통풍과 일조량 만 신경 써주면 이 식솔들만큼 살가운 반려는 없지 싶다. 요즘 같은 '집콕 살이'엔 기울이는 사랑만큼 응답도 잘 하니 말이다. 본가 담장에서 걷어 온 기왓장에 푸릇푸릇한 이끼도 한 몫 한다. 때론 이 틈바구니에서 이름 모를 잡풀이라도 빼끔 고갤 내밀면 희한하게도 늘그막의 감성을 훔쳐간다.

겨울나기 무섭게 여기저기 움돋이가 시작되면 환희로운 눈 맞춤에 나이를 잔뜩 얹고도 싱싱해지는 꿈을 꾼다. 작은 하나에 불과한 싹에서 봄 동산을 통째로 얻은 기쁨이랄까. 광대무변의 대자연에서든 손톱만한 새 생명이든 신비롭기는 마찬가지. 코로나 악령에 흙을 밟지 못하고 사는 아파트 살림이어도 견딜만하다.

기온이 오르기 시작하면 악질 바이러스도 수그러들 거라더니 그 예상도 빗나가고 말았다. 초 여름날, 구석에 밀쳐놓았던 소형 연못에 물풀이라도 채워보려는 심산으로 꽃집을 찾은 날. 빈손으로 돌아서는 나를 불러 세웠던 여인이 있었다. 노란 모자를 깊숙이 눌러쓴 작은 얼굴. "이거 같이 키워요! 물에서도 잘 크거든요." 워터코인이 수북한 수반을 내밀며 생면부지의 그녀가 내게 건넨 말이다. 그녀가 분명 '같이'라고 했었다. 놀라움과 반가움 반반에 덥석 그녀를 안고 말았다. 예기치 못한 기쁨에 그처럼 가슴이 벌렁거릴 줄이야.

유방암 수술 후 회복기에 있다는 환자에게서 멀쩡한 사람이 위로를 받은 셈이다. 그야말로 주객의 전도가 아닌가. 분양받은 작은 분을 안고 돌아오며 정말이지 꿈을 꾸는 기분! 고이 잘 길러 그녀와의 해후를 성사시키리라는 다짐에 마음은 하늘을 붕 날았었다. 그녀의 안부이듯 물동전이 동글동글 잎사귀를 올리며 이 가을에도 여전히 싱그럽다. 여름철 내내 그린 에리어 구실을 톡톡히 해냈으니 분명 그 여인의 예후도 좋을 거란 확신이 든다. 그늘이든 양지든 주인장 의도에 따라주는 순둥이요, 꽃말 그대로 윤기 자르르 풍요롭기 그지없는 효자동이가 아닌가. 집콕 살이 여러 달을 이렇게 함께 해 오다니 정인情人이 따로 없지 싶다.

주인장에게 계절을 잊지 않고 보답해주는 초화분이 가륵하기만 하다. 다가올 겨울을 제대로 날 수 있을지 분 하나하나를 살핀다. 봄, 여름, 가을을 젖 먹은 힘까지 소진했으니 지칠 법도 할 터인즉. 곧 분속으로 숨어들어 당분간 안녕을 고할 테지만, 작은 풀꽃 한살이가 동행이 돼주는 것 같아 애틋하고 고맙다.

가을 내내 보랏빛 꽃송이를 달고 있는 용담이 기특하다. 분속에서 싹을 내밀 땐 잎이라도 넉넉히 피워주길 바랬는데 벙긋벙긋 꽃의 절정까지 보여주었으니 영락없는 내 새끼다. 지독한 '집콕'의 나날을 저 가녀린 녀석들 눈짓, 몸짓으로 견디었으니 이보다 나은 반려자는 없을 터이다. 푸른 한철 갖은 재롱을 떨다가 저들도 제 갈 길을 따라야 하지 않을까.

겨울 숲도 동장군을 이겨야 기운찬 봄을 열듯 때 되면 워터코인도 밑동만 남기고 잘라야 할까 보다. 겨울을 나면 날을 잡아 그녀를 만나리라. 꽃집에서 전해 듣는 회복 소식만으론 성이 차지 않기에… 그렁그렁 사랑이 담긴 눈으로 잘 이겨냈다고, 고마웠다고 전보다 더 힘껏 포옹하고 싶다.

'집콕살이' 동안 가슴에 묵혔던 절절한 그리움들, 너무나 하고 싶었던 말이 사랑으로 발효되어 아낌없이 퍼낼 수 있기를 소망한다.

『산림문학』 2021. 봄

스무 살 절친

산모롱이로 돌아앉은 자락에 유월이 짙다. 우리의 절친切親을 앞세우고 찾아든 한나절의 카페. 마주 앉은 꽃다운 젊음이 오늘따라 눈이 부시다. 여기저기서 쏟아지는 칭송들. 여느 때면 실눈으로 기분 좋게 웃어야 할 이 녀석. 웬 일인가. 눈을 깔고는 자못 심각하다. 7월부터는 새로 일을 시작하게 돼 그림을 그만 둬야 한단다. 그래서 고민이라는 것. 스무 살 절친에게 갈등이 생겼다니 예기치 못한 일이다. 분위기를 띄워볼 양으로 노래 한곡을 정중히 청하고 우린 긴장한다. 뜻밖에도 노래 대신 흘러나오는 '별 헤는 밤'. 시적 감성을 담은 차분한 암송이 놀랍도록 섬세하다.

엉뚱 발랄한 절친이 어느새 이만큼 성숙해 있음을 모르고 있었다니. 더구나 우리의 뜰을 벗어날 찰나에 있다니 그야말로 진지한 순간이 아닌가. 어제는 대화방을 누비며 신명나더니 졸음 온다는 응석에 단비소리를 자장가 삼아 푹 자라고 했었다. 이 거침없는 청춘에게 고민이라거나 주저함이란 없었는데… 순수 영혼을 흔드는 조짐이 참말일까 싶어 그림 방

실버들이 덩달아 긴장되는 순간이다.

모두가 내 일이듯 했다. 원로시인은 열아홉 하이틴에게 안정감과 서정성을 불어넣어야 한다며 파스텔화 방에 전격 입문시켰다. '7번방의 선물'이 아닌 '시인방의 선물'로 절친 K양이 온 셈. 천진스런 열아홉 젊음이 우리 곁으로 오게 된 연유가 극적이고도 아름답다. 그쪽 방의 주인들이 강력범 수형자들이었다면 여긴 시인감성을 지닌 실버들이라는 점이 다를 뿐. 맑은 영혼으로나 순진무구함으로 따지자면 두 주인공이 다를 바가 없는 천사들이다.

꽃띠 아가씨의 출현에 시인들의 그림 방이 웃음바다가 되어 수시로 출렁거렸었다. 주인공이 던지는 돌팔매가 파문을 그리며 시인들을 동화나라로 데려가곤 한 것이다. 가족 말고 말동무가 간절했던 절친. 우린 끔찍이도 이 젊음을 아꼈고 소통을 주저하지 않았다.

어느 날은 내게 글 쓰는 게 뭐가 어렵다고 결석까지 했냐고 안타까워도 했다. 실버합창단에 들어가 꼭 노래를 불러야겠다는 천진한 감성에게 요건이니 자격이니 설명할 계제가 아니었다. 특단의 해결책(?)을 내놓으며 노래 부르고 싶어 하는 이 주인공에게 허용과 수긍이 최선책임도 알았다. 관심사 안에 있는 누구든 반드시 함께여야 한다는 자아욕구가 나름의 논리였음인지도 모른다.

생애의 완숙기를 넘어선 실버들에게 순수 열아홉 에너지의 파동은 자잘한 물비늘이었지 결코 파란은 아니었다고 본다. 과잉 애정이 혹여 분별력을 흐리게 하지는 않을까 싶었지만 풋풋한 애교로, 신선한 충격으로 받아들였다. 심연에 깔아둔 기억은 누구에게나 아름다운 법. 노년의 시인들은 저마다 유년을 떠올리며 같은 눈높이에서 호흡하고 함께 유쾌해했다. 참견이나 고집이 밉지 않았고 까르르 웃음보 터지는 날이 더 많아 목요일이 은근히 기다려졌다고 한다면 과장이라고 할지.

미처 다듬어지지 못했던 모서리가 둥글려지고 배려, 숙고하는 모습이 눈에 띠면서 우린 '절친'이란 말을 아끼지 않았다. 디데이마다 완성되는 시인들의 시화가 탄성을 자아낼 만큼 수작秀作이었던 건 그림 방을 채우는 밝음과 온기 때문이었다고 믿는다. 우리의 스무 살 절친이 화폭에 담는 대상이며 색감도 나날이 수준작으로 올라서고 있음은 말할 필요도 없다.

'절친'을 어떤 가치로 규정하느냐는 사람마다 다를 것이다. 절친 사이가 된 자초지종의 일화를 들을 경우가 많다. 유유상종의 각별한 우정이거나, 개성은 달라도 돈독한 신뢰를 지닌 친구, 아니면 죽고 못 살 만큼의 가까운 사이를 일컬을 진데 왜곡된 우정이 아닌 이상 필연이든 우연이든 같이 있고 싶은 친구를 이르는 말이 아니겠는가.

우린 오매불망 목요일을 기다리는 주인공을 위해 열일을 제쳐놓고 그림 방으로 달려갔고 가고 싶어 하는 곳은 앞장세우고 함께 찾았었다. 나이의 경계를 허물고 심야에도 통화로 응대했고 그러기에 '스무 살 절친', '행복한 마스코트'라는 호칭을 주저하지 않은 것이리라.

그림으로 만난 지 두어 해가 되어간다. 싱싱한 꽃잎에 닿아 튀어 오르는 물방울이듯, 상큼한 청량제이듯 실버들에게 연둣빛 시절로 돌아갈 수 있게 해준 스무 살 절친. 나른한 노년을 일깨워 산들바람 같은 시구를 떠올리며 동심까지 그려낼 수 있었으니 행복이라 말하지 않겠는가. 이제

조신한 숙녀로 진입하려는 갓 스물의 청춘을 저 가고 싶어 하는 길로, 제 또래들에게로 보내야 할 때인가 보다.

'심심해', '빨리 데리러 와야지', '내일 하이킹 가자' 며 무시로 대시해 오던 우리의 절친. 빨리 피어나는 꽃이라고 더 아름다우란 법은 없을 게다. 때를 기다려 더 향기롭게 피는 꽃이 있듯이 스무 살 절친이야 말로 세상을 느리게, 신중히 사는 젊음이 아니겠는가. 부디 새로운 울타리로 들어가 건강한 웃음으로 성숙하기를 소망해 본다. 짙푸른 계절, 유월의 부름이라면 '스무 살의 절친'을 이즈음에서 양보해도 좋을 것 같다.

그렇다. 이제 이 스무 살 절친을, 아니 예쁜 파랑새를 숲으로 날려 보내야겠다. 이 순수 젊음이 그리울 때마다 예의 숲을 바라다보며 상큼한 젊음을, 청량제인 듯한 스무 살 절친을 화폭에 담아야겠다.

『창작수필』 2016. 가을

에움길에서

삶의 에움길을 걷는다.

빠른 길을 두고 멀리 돌아서 가는 길이다. 이 길이 쉽기만 할까. 훤히 닦인 신작로가 아니다. 걷다보면 진흙탕을 만나고 험한 자갈길도 지나야 한다. 종종걸음 치다가도 힘에 부치면 터벅터벅 걸으며 망설이기도 한다. 경사가 심한 곳에선 아찔한 현기증에 정신을 잃기도, 걸어온 길을 돌아보며 더러 후회도 하는 것. 결코 돌아설 수 없다는 결심이 서면 명징한 정신으로 걸음을 재촉한다. 되돌아가서는 안 될 행로이기에 나아가고 물러섬을 겸허히 판단하고 수행한다.

흔히들 가까운 길도 아닌데 짐까지 지고 가냐고 혀를 찬다. 언제 끝날지 모르는 여정이 지루하지도 않느냐고. 남들은 저만치 앞서가고 있는데 그 걸음으로 언제 당도할 거냐고 말이다. 대답은 분명하다. 내 의지로 제대로 가고 있음이라고. 이 길을 모르거든 농담이라도 뱉지 말라고 일갈한다.

도랑물을 만나면 정신을 가다듬고 건너뛰면 되는 거다. 그렇다고 방심은 금물. 큰물을 만나면 거센 물살을 함께 헤쳐 갈 동행이 필요하지만, 행인이 드물어 그리 쉽지가 않다. 그래도 앞서거니 뒤서거니 하다보면 손잡아주고 가슴도 열게 되는 법이다. 먼 길을 함께 가는 따뜻한 가슴들이 해내는 보람이 이보다 더 좋을 수는 없다.

고단해지면 나무 그루터기나 바윗돌이 몸을 내어주며 쉬어가라고 한다. 삭정이가 돼버린 나이테를 세다보면 나무가 하는 말을 알아듣게 된다. 헐거워진 심신이 좌우명을 얻으며 조여진다. 세월의 마름질에 수없이도 깎였을 바윗돌은 무언인 채로 할 말을 다하고 있다. 겸허한 눈높이로 진정성을 지녀야 바로 보이고 들을 수 있는 법.

여기서 잠시 멈추지 않았더라면, 무정물이 들려주는 얘기를 어찌 알아들었을까. 그러노라 목적지를 멀리 두고도 길동무가 돼주는 주변에 정신을 팔고 있었는지도 모를 일이다. 오로지 앞만 보고 달리는 사람보단 내가 사는 방식이 훨씬 낫다는 확신에는 변함이 없으니….

멀리 난 길을 돌지 않고도 가깝게 질러가는 '지름길'이란 것이 있다. 빠르고 편한 방법으로 쉽게 목표에 이르는 '출세가도'를 일컫는 말이기도 하다. 이 길이 사람들로 북적인다. 남보다 빠른 성공을 위해 분별없이 몰려드는 바람에 삿대질이 난무한다. 빨리 가기는커녕 발자국조차 떼놓기 힘든 정체현상에 오도 가도 못하는 사람들. 과녁을 겨냥해 화살을 당기면 틀림없이 명중하리라는 환상을 지녔을 것이다. 먼저 가려다 밟히고 치여서 난장판은 되지 않아야 하는데. 정작 이 지름길로 안내받아야 할 순한 사람들은 발을 들여놓을 엄두나 냈을지 모를 일이다.

앞만 보고 질주하느라 눈여겨볼 수 있었던 게 과연 있었을까. 목표한 정상에 올라 쾌재를 부르는 이들 모두 편법이었다고는 말하지 않겠다. 별을 따겠다고 오로지 자기만을 앞세웠을 승부욕을 생각하면 안타까울 뿐. 희망조차 품을 수 없는 사각지대에 통행권을 양보하는 미덕은 기대할 수 없는 것일까.

지금의 나. 앞서간 사람들에 뒤져 있음을 안다. 그러나 이 길이 좋았다. 앞선 사람을 쫓아가려고 안달하지 않았고 가당치않은 면류관을 꿈꾸지 않았다. 설령 지름길을 알았던들 한 우물만 파느라 직진밖에는 할 수 없었던 나날이 내겐 더 큰 가치였다고 말 할 수 있어 다행이다. 지금 이만큼에서도 길을 갈 수 있는 기력이 남아 고마울 따름. 내친걸음이라고 함부로 살 수는 없는 일이기에 상념일랑은 아예 들추지 않으려 했다. 힘들고 숨 가쁠 때 나를 위해서만 산들바람이 불어주지 않음을 아는 까닭이다. 제대로 땀 흘리며 얻는 보람이 더 소중함을 알기에 할 수 있는 말인 거다.

내 손에 들려진 짐 보퉁이들을 가늠해 본다. 어느 것 하나 중하지 않은 게 있을까만, 더러는 중의에 떠밀려 진즉에 내려놓지 못한 불찰도 내 몫이지 싶다. 맡지 않아도 되었을 짐이 천천히 걷는 길이었기 망정이지 과욕에 경거망동이라도 했더라면 그 무게에 주저앉고 말았을 게다. 함께 꿈꾸고자 했기에 나라도 나서야 했던 것. 누구도 지려하지 않았던 자잘한 짐이지만 기꺼이 지고 갈 수 있음에 감사라 여긴다.

여린 풀벌레 소리에 귀가 열리고 발길에 밟히면서도 용케 목숨을 부지

하는 잡풀 한 포기 풀꽃 하나. 자세히 보아야만 보일까 말까한 사소한 경이로움. 둘레 길에서만 볼 수 있는 삶의 길을 오늘도 쉬엄쉬엄 그렇게 간다.

이제껏 걸어온 보폭에 맞추어 걸음을 재촉한다. 멀리 돌아서가는 길인 줄 알면서도 기꺼이 들어선 길. 내 삶의 길이 어디서 끝날지는 몰라도 이대로 많은 것들을 품고 갈 생각이다. 쉬운 길, 가까운 길 아니라도 느리게 걷는 길이 안성맞춤인 걸 어쩌랴. 그나마 황혼녘에 글을 쓸 수 있어 축복이다.

『한국수필』 2020. 10.

가을 배웅

사부작사부작 오시는 걸음에 버선발로 뛰어나가 맞았었다. 염천이 힘겨워 목을 빼고 기다렸던 가을! 님이 듯 반가워했더니만 입동이 코앞이란다. 온 산천에 신명나게 들불을 지피더니 지치기라도 하셨나. 찬비라도 내리면 초췌한 행색이 되어 금세 저 삽짝을 벗어날 것 같다. 나도 하루쯤은 단풍처럼 타고 싶었던 건데 어쩌다 눈 맞춤 한 번 못 하고 지냈던 건지. 이게 아니지 싶으면서도 그걸 어쩌지 못하는 소심. 떠날 채비를 서두르는 가을만 야속하다 싶어 일탈을 감행했던 거다.

실로 얼마만인가. 골짜기 한적한 숲길을 돌아 표고 8백의 고개를 오른다. 단풍은 이미 절정을 지나 있는데도 늦가을 빛은 묘하게도 사람을 달뜨게 하는 마법을 지녔다. 주체 못할 아쉬움도 물 흐르듯 하다 보면 위안이 되는 건지도 모른다. 철늦게 나선 객을 위해 이쯤에서 기다려 주는 온정이 고맙기 그지없다.

명품 고갯길이 '만추'를 제목으로 서사시를 쓰나 보다. 그 마지막 연에서 머뭇머뭇 다듬고 있는 시어詩語에 뭉클 가슴이 젖는다. 편한 길을 두고도 이 굽잇길을 오르내렸을 길손들. 함께 물들었을 황갈색 숲이며 풍성한 치마폭을 둘렀던 산록은 조락을 서두르는지 핼쑥해진 표정이다. 두 팔 벌려 영접한 가절佳節이 어느새 이 등성이를 넘어서고 있을 줄이야. 까닭 모를 심사가 이날따라 유난스럽다. 고독의 계절이 이별을 고하며 건네는 인사가 서글픔을 부추긴다.

초당草堂선생의 가곡 〈대관령〉을 4부 합창곡으로 채우고 반정半程에 오른다. "그려도 움직이는 한 폭의 비단"이며 "내 인생의 보슬비"라 했던가. 사계를 따라 시시각각으로 움직이는 '비단 한 폭'에 홀려 맘먹고 오르는 길이 선생이 읊으신 시 이상으로 가슴을 출렁이게 한다.

차에서 내려서니 사위에서 냉기가 엄습한다. 여느 때와 달리 사임당의 사친시비思親詩婢가 덩그러니 수척하다. 여인네라면 누구든 가슴에 지녔을법한 시와 마주하니 만감이 교차한다. 북촌-오죽헌 마을의 홀어머니 그리던 그니 마음이나 내 심중이나 다를 바가 없을 터. 사위어가는 나이에 새삼 사무칠 것이 무얼까 싶어도 여기에 서면 그리움 하나를 들춰낼 수밖에 없다.

"우리 세월도 금방이야!" 이 자리에 함께 섰던 선배님 모습이 아삼하다. 함께 하는 중에도 책은 언제 묶을 거냐고 채근하셨지. 작품집을 기다리다 빈손으로 떠나신 선배님께 송구스러움 반에 그리움 반이 겹쳐 목울대가 뜨겁다. 가신님 말씀대로 세월이 금방이건데 난 정말 허송세월을 하고 있는 것일까. 청맹과니였을까. 온 가을을 경황없이 보내고도 근원 모를 이 공허감은 도대체 무어란 말인가.

자식들 순풍, 순풍 잘도 낳아 기르던 세대 마냥, 문간엔 하루가 멀다고 작품집이 답지하는데 수필집은 저만치 밀쳐놓고 있는 사람. 발등에 떨어진 불이 더 급하다고 여긴 오산 때문인지, 아님, 일을 핑계로 태만이었던 것인지. 이따금 모아진 글 주머니를 들쳐보면서도 책 내는 게 능사가 아니라는 내 자존심. 결코 부끄럽다 여긴 적은 없는데. 난 정말 딴전을 부리고 있었던가.

10여 년간을 함께 꿈꾼 일이었기에 나라도 나서야 했던 것일 뿐. 애면글면 이어온 가치를 날려버릴 수 없어 감당했던 일이니 상념에만 갇히지 말자고 자신을 추스른다. 앞으론 영악해져 '나'를 차선으로 미루는 일은 더 이상 없기로 하자고 주문을 건다. 밀린 숙제를 풀어야 한다고.

고갯마루 정상께로 눈길을 준다. 거기! 등성이를 타고 유연한 곡선으로 이어진 겨울 나목의 행렬. 천공을 배경으로 하늘 화선지에 그린 두루마리 그림이라고 해야 하나. 어느 노련한 화공이 가늘디가는 붓으로 혼신의 힘을 다해 그린 수묵화가 선계인양 펼쳐져 있다. 지닌 것들을 모조리 털어내고서야 진면목을 드러내는 겨울 숲은 이미 가을을 지나 동면에 접어들었다. 머잖아 매섭게 불어칠 칼바람도 거뜬히 이겨낼 결기인 듯. 오연한 모습으로 선 자태가 도저히 다다를 수 없는 피안이며 범접 못할 선비의 기개이다. 내 안에 슬며시 피어오르는 체념은 여기서 바라보기만 해도 좋다고 말한다. 고개가 아프도록 선경을 바라보다 시선을 거둔다.

생애의 겨울이 목전에 와 있는 나이다. 반가이 맞았던 계절을 보내기 아쉬워 옷자락을 붙잡고 싶지만 어쩌겠는가. 저 산마루에 당도해 있는 서릿발 계절처럼 머물러주지 않는 것이 세상살이이거늘. 코앞의 일에만 급급해 밀린 숙제를 놓치긴 했어도 후회는 말 일이다.

보내는 계절이 아쉬워 무슨 핑계로든 나서야만 했던 날. 내가 만나야 했던 건 저 겨울 숲의 비장함이거나 '가을앓이'는 그만 두라는 권고였을 듯싶다. 허접한 넋두릴랑은 접어두고 저 겨울 숲의 동면처럼 충전의 시간을 지나면 사는 일도 명징해진다는 타이름일 지도 모른다. 어정쩡한 심사를 평정하고 하산을 서두른다. 다시 올 태동의 봄을 준비할 엄동설한도 내가 맞이할 임이 아니겠는지. 저만치 던져두었던 숙제를 뇌리에 다져 넣으며 고갯길을 돌아내린다. 잿빛 그림자가 짙어진 걸 보니 가을님이 정말 떠나시려나보다.

> 가을님 오실 적엔 임이듯 반겼더니, 온 산천 불 지르고 몸져눕고 마는가
> 그대에게 물든 가슴 아직도 꿈속인데, 잡은 손 뿌리치고 잰걸음에 떠나시면
> 쌓인 그리움 어찌 하라고 어찌 하라고, 서러운 사연일랑 들어주고 가시게

가을을 배웅하며 노랫말 한 편을 적었었다.

『창작수필』 2020. 겨울

무화과 향이 사랑이고 그리움인 까닭

《무화과가 익는 밤》을 펼쳐듭니다.

작가의 글밭에 무화과 향이 그윽하군요. 이랑마다 기쁨이고 감동입니다. 우리 모두의 사랑이고 그리움이기 때문이죠.

30년의 발효와 숙성을 거치며 끓어오르다 때론 사그라지기도 했던 작가의 꿈! 그건 무화과 향기로 익어온 애틋한 열망이 아니었으면 불가능한 것이었을 겁니다.

오랜 침묵을 깨고 밖으로 나온 작가에게 다가갈수록 홀리고 말았지요. 편편이 전율이고 그 바람에 막혔던 혈류가 뚫려 행복한 독자가 되었습니다. 작품에 쏟아내는 토혈이 뭉근한 체취를 내어 글맛이 가경이라고들 합니다. 신비를 입힌 드라마이듯 작가의 붓끝이 마술을 부리네요. 기막힌 마술 말이죠.

남쪽 바다 작은 섬! 무시로 시선이 머물렀던 바다는 솟구치고 부서지고 다시 일어서며 무던히도 섬 아이를 담금질 했을 테지요. 고향 '신섬'

을 원 없이 쏘다녔던 푸른 영혼! 감수성이 유별했을 여자아이는 '섬 살이'에 신명이 나 온몸에서 돋은 감성의 촉수로 뭍을 꿈꾸었을 겁니다. 고향 남도가 작가의 혼을 불 지르는 젖줄이 될 줄이야! 청정바다의 정령이 그녀의 유년을 그대로 둘리가 없음입니다.

작가는 자신의 가장 깊은 곳에서 어머니를 찾는다고 합니다. '글길'의 바탕이 되어준 대상으로 어머니를 첫 손가락에 꼽기를 주저하지 않습니다. 존재의 근원이 어머니라고 했으니까요.

어부의 여식으로 태어나 엄마젖에서 일찍 멀어졌던 섬 아기는 엄마 대신 증조할머니의 빈 젖을 물곤 했다죠. 어려서부터 젖이 고파 헛헛증을 앓았고 '태생적인 허기'와 갈증으로 울음 투성이 여아였다고 합니다. 동생이 태어나 외가, 친가를 오가며 지내느라 '말 구루마 집' 딸 향란이가 제일 부럽던 처지였으니 그 외로움이 짐작이 되고도 남을 일입니다.

친구네서 밤늦게 놀다 잠자러 갈 때가 되면 발길이 무화과나무 아래로 향하더랍니다. 달빛 속에서 '아그데아그데' 열린 무화과는 올려다보기만 해도 "어무이예에!" 소리가 절로 나왔다지 뭡니까. 간절함이 오죽 했으면 무화과 열매에서 뚝뚝 젖이 떨어졌을까요. 발꿈치를 들고 손을 뻗어보지만 젖내 나는 과일은 야속하게도 한 번도 손에 잡히지 않았으니… 나무 아래는 섬 식구들이 모여 사는 집이었고, 농익은 무화과 향은 엄마의 '흥건한 젖물'이었음이 틀림없습니다.

작가의 어머니는 친구네 무화과처럼 언제나 손에 닿지 않는 거리에 있었다고 회고합니다. 어둑한 빈방에 누우면 달빛 속에서 들리던 울음들이 한꺼번에 몰려와 자다가도 깨어나 훌쩍거릴 때가 많았고요. 어미를 향한 어린 말의 울음소리, 철새들 날개 짓 소리, 야옹이에 놀라 달아나는 쥐들까지도 자신을 닮은 울음이었을 것입니다.

나이보다 일찍 철들어버린 아이는 어머니와 가족을 향한 그리움을 삼키며 스스로 주문을 걸기도 했습니다. 착한 아이가 되어 칭찬을 들어야겠다는 자기 최면이었습니다. 허나 가족의 아픔과 기쁨이 내 것이 되지 못해 형제들이 기억하는 일들이 작가에겐 없는 것들이 많았습니다. 한 배에서 태어났으면서 유년을 공유하지 못함은 오래오래 서러움으로 남기 마련입니다. 책장을 넘기며 작가의 상념에 갇히다 보면 나도 별수 없이 그림자조차 찾을 수 없는 혈연을 불러놓고 가슴 아린 상면을 하곤 합니다. 소용없는 짓인 것을….

간절히 원하면 이루어진다지 않던가요? 오십여 년이 지나 고향시장을 둘러보던 중, '향란 할매'가 안겨준 무화과에 작가의 아린 날들이 소환되었습니다. 쉰 해를 묵혀온 아픔이 눈물로 도질 수밖에요. 어머닌 딸의 손을 잡았습니다. 울음보였던 딸아이는 어린 것을 품에서 내쳐야 했던 어머니의 슬픔을 처음 확인한 셈이었습니다.

속울음을 참아가며 애어른으로 자라야 했던 자식의 눈물은 어머니에게 형틀이었을지도 모릅니다. 작가의 설움을 용케 알아채는 어머니가 훌륭하게 여겨집니다. 작가를 키운 어머니였으니까요. 울음이란 '가장 깊은 곳에 다다르는 그리움의 다른 표현'이라고 한 작가의 속내를 너무나 잘 아는 터입니다.

책을 읽다 보면 유년의 갈피에 접혀있던 기억들이 소물소물 기어 나올 때가 있답니다. 동병상련이라는 아픔에 책속의 주인공이 내 안의 아이를 불러들이기 때문이겠죠. 둘은 서로 말을 걸다가 맞장구를 치다가 실랑이도 벌입니다. 나도 그랬어. 얼마나 서럽고 힘들었을까 라며… 그게 저자와 독자 사이를 오가는 공감이고 의기투합일 테죠.

작가의 글 「달팽이의 꿈」을 처음 읽었을 때 정말 기뻤습니다. 천형 같은 껍질을 뚫고 나온 작가의 첫 외출이 눈부셔 보였습니다. 어설픈 달팽이의 꿈이 아니라 앞으론 무소불위로 질주하는 꿈이기를 바랐죠.

느린 걸음으로 기는 나란 달팽이도 있는데 등에 진 짐을 벗어날 때가 있을까 의문이었지요. "자신의 발목을 잡고 불화한 시간과 드잡이했다."는 작가의 고백을 믿기로 했습니다. 무화과나무 밑에서 올려다보던 그 애틋했던 순간이 그리움이고 진실한 사랑이었음도 말입니다.

오늘밤, 작가의 컴퓨터 화면에선 주렁주렁 무화과가 열려 향기를 발할 날을 기다릴 테지요. 안으로만 끌어안았던 자신의 성城을 맛깔난 우리말로 버무려 세상에 내놓는 작가의 통 큰 역사役事에 독자들이 더 행복해질 것 같습니다.

아버지의 억척이 자신을 서자에서 바다의 적자로 만들었듯 그 아버지의 딸이야말로 수필문단의 적자가 되었으니 말입니다.

제4회 한국수필독서문학상 대상

제5부

예가 좋아라!

강릉 아낙의 덤
겨울 숲에 들다
아파트에 튼 둥지
경호 있으매
꽃보다 초록입니다
이 나무의 헌신
대관령
솔향 푸른 이야기
내 집이었네
느낌표 시나미 길

영정 앞에 올린 향이 사분사분 문설주를 타고 넘으면
뜰 안 곳곳에 허초희의 고혼孤魂이 고매한 시가 되어 날아 앉는다.
시혼을 불사르며 추모시를 바치는 애잔한 낭송이 뒤란으로 돌아 나와
꽃그늘에, 담 밑 군데군데 하얀 제비꽃에 눕는다.

강릉 아낙의 덤

오랜 벗이 남도를 다녀왔단다. 봄 바다를 찍어 보낸 영상이 상큼하다. 몽돌해변에 부서지는 파도를 보며 봄 마중을 했다니 이런 멋진 친구가 있을까. 겨우내 집안에서만 맴돌았던 터라 이 여인이 사는 방식이 부럽다. 맘먹는다고 훌쩍 떠날 수 있는 나이가 아니련만 과연 푼푼한 마님이다. 만지작거리고만 있던 글을 아직 끝내지 못했다. 심기일전의 기 충전이 필요할 때. 멀리랄 것도 없지. 친구가 실어 보낸 봄바람이 시동을 걸었으니 지척이지만 나서볼 참이다.

초당 난설헌 생가 터에 들어선다. 뽀얗게 쓸어놓은 마당이 발밑에 부드럽다. 싸한 냉기에도 신기하리만치 기분 좋은 곳. 풍수를 논하는 이들은 음이온이 충만한 자리라 그렇단다. 걸출한 명품 송림을 품었으니 무슨 말이 더 필요할까. 봄, 여름, 가을을 오랍 뜰 드나들 듯 찾게 되는 단골 힐링의 장소다.

이곳에 오면 사철에 순응해가는 고택의 동정부터 살피는 게 순서다.

그날그날 다가오는 표정이 매번 달라서 대상을 정해두고 사계절 빛깔을 폰에 담으며 심중을 털고 간다. 난설헌 헌다례가 치러지는 기일은 홍매 흐드러진 뒤꼍이 황홀경이다. 비운의 삶을 살다간 허초희의 넋이듯 이날 따라 홍매는 처연하리만큼 붉다. 꽃비라도 쏟아질듯 한 그늘에 고즈넉이 앉은 장독간이 참배를 온 뭇 여인들을 홀린다. 아마추어에도 못 미치는 솜씨면서 난 대책 없이 들뜨는 아낙이 되고 만다.

영정 앞에 올린 향이 사분사분 문설주를 타고 넘으면 뜰 안 곳곳에 허초희의 고혼孤魂이 고매한 시가 되어 날아 앉는다. 시혼을 불사르며 추모시를 바치는 애잔한 낭송이 뒤란으로 돌아 나와 꽃그늘에, 담 밑 군데군데 하얀 제비꽃에 눕는다. 셔터를 누르는 매순간 그녀의 가녀린 숨결이 찍힐 것 같은 환상에 잡히는 날이다.

분홍 작약이 만개하는 오월에 고옥에 들면 갓 스물의 그녀가 버선발로 뛰어나와 반길 것만 같다. 밤 새워 놓은 꽃수를 뜰 안에 가득 펼쳐놓고 임을 기다리던 마음이 아닐는지. 앞뜰에서 쪽대문 옆을 지나 뒤란으로 이어지는 작약 꽃 덤불이 연분홍으로 터치한 파스텔화보다 곱다. 눈길 가는 곳마다 봉긋봉긋 시심이 피어나고, 툇마루에 앉아보면 이보다 더한 감개는 없다. 이날 동행이어도, 혼자여도 좋은 까닭은 기막히게 짧았던 임의 생애에서 가장 행복했던 유년을 그릴 수 있음이다.

여름날 초당의 품에 안기어보라. 난설헌이 '문 앞을 흐르는 물에 비단 옷을 빨았다'던 곳이 바로 지척을 흐르는 개울일 듯. 청량한 솔바람에 눈을 감으면 초목에 깃든 정령精靈의 기운이 초당 솔밭을 에워싸 최상의 휴식을 맛보게 된다. 청정 송림을 지켜온 천년의 그늘, 가슴에 뭉쳐둔 앙금이 있거들랑 이곳 초당 생가 터에 와서 훌훌 헹궈내면 될 일이다.

가을이 진홍으로 물드는 날은 날렵하게 뻗은 추녀와 담장이 한옥의 극치미를 더한다. 이곳 생가 터가 안아 들이는 품은 계절마다 달라 무성한 초록을 지나 소슬한 가을에 접어들면 뜰은 그 넉넉하던 품을 서서히 줄여간다. 내방객은 비어가는 뜰에서 저마다 감성의 깊이만큼, 눈높이만큼에서 자기 성찰을 하게 된다. 늘 그 자리인 듯싶어도 내려놓고 비워야 비로소 채워지는 것임을 알기 때문이다.

지금 초당은 청청한 솔빛을 빼고는 무채색 일색이다. 겨울을 견디느라 추위에 떨었을 나목은 꽃눈을 준비하느라 바쁠 터이다. 눈부신 꽃의 계절도, 싱그러운 초록도 아닌 정적의 순간이지만 봄을 기다리는 설렘이 다른 의미의 축복임을 깨닫는다.

올겨울은 잦은 눈에 강릉이 하얀 겨울이야기로 풍성했다. 내 게으름 탓에 벼르기만 하던 설경을 놓치고 말았지만 눈이 많은 영동의 2월을 아직은 더 기다려보아야 한다. 퐁퐁 봄눈 내리는 날, 한 달음에 달려가 미완으로 남겨둔 뒤란의 장독간 파노라마를 완성하고 쾌재를 부르리라.

비운의 삶을 살았던 여인. 스물일곱 애절한 생이었기에 한과 눈물은 가늠조차 할 수 없지만 생가 터는 많은 얘기를 하고 있어 여기만 들면 한결 가벼워진다. 그러기에 난 그녀와의 숙명적인 사랑을 멈출 수가 없을 것 같다. 차실에 들어 차 한 잔을 놓고 나를 들여다본다. 가슴으로 하는 힐링 덕분에 오늘 초당 행은 이곳 여인네로 살아가는 덤이라 여긴다.

묵혀둔 글이 잘 풀릴 것 같다.

『창작수필』 2016. 가을

겨울 숲에 들다

여러 날을 PC와 씨름하던 끝에 고민거리로 남았던 과제를 끝냈다. 비중을 두고 해냈던 작업이라 느슨한 일상에 빠져들기 전에, 방점 하나를 찍고 봄을 들이고 싶다. 이제껏 경험하지 못했던 걸로. 소소한 연례행사며 이름 있는 날에 치러내는 가례가 만만찮았기에 별러만 오던 '설중 산책'을 작정하고 나니 설레기까지 한다.

동절기만 되면 안사람 거동에 걱정을 달고 사는 사람에겐 적당히 둘러대고 나니 야릇한 쾌감도 한몫 거든다. 시내버스로 두세 블록만 거치면 닿는 거리. 홀가분하다. 마스크 속의 훈훈한 콧김에 기분 좋은 느긋함에 긴장감을 던다.

어제 내린 눈으로 차창 밖 세상이 하얗다. 영동해안이 폭설로 덮인 다음날, 송정 설경을 만나자던 시인을 따라나섰지만 곤욕만 치르고 돌아선 적이 있다. 그때 함께 했던 이들에겐 비밀리에 행하는 단독 미션이다. 오늘은 오기로라도 해내야 한다.

솔밭 쉼터에 내려선다. 바다를 보러오는 사람들과 색소폰 선율로 수런

거리던 해변 휴게소가 휑하다. 하늘 빛, 물빛에 잠겨있던 시퍼런 바닷바람이 가슴에 와 안긴다. 전자파에 노출됐던 심신이 바다와 눈길 한번 맞추는 것으로 말짱 걷히는 느낌이다. 이 상큼한 해방감이라니! 나서길 얼마나 잘한 일인가.

깊숙한 산책로를 들여다보니 동안거에 들어간 수도승 뒤꼍인양 괴괴하다. 바다 쪽 훤한 해송 길을 택하고 눈밭에 들어선다. 발목에 채는 정도여서 그리 힘든 보행은 아닐 터. 성큼성큼 찍힌 발자국에 내 발자국을 포개며 앞서 간 사람이 혈기 왕성한 이등병이었음 좋겠다는 생각을 한다. 조금 못 가 발자국 네 개가 찍혔다가, 다시 둘이다. 함께 걷다가 업히다 했을 성싶은 발자국을 짚으며 아름다운 사랑을 하는 연인들일거란 호기심에 혼자면서도 유쾌하기 그지없다. 이 생뚱맞은 사유의 자유, 이 거침없는 상상이라니!

송림사이로 보랏빛 꽃 너울을 쓰고 뭇 사람을 홀리던 맥문동 단지가 발밑에 부드럽다. 동해안 풍치림 중에서 으뜸으로 치는 곳. 느릿느릿 차로 지나며 보아도 몇 번이고 달려보고 싶은 비경이다. 해서 초당선생은 세계에서 가장 아름다운 '우리 길'이라 하지 않았던가. 쉬엄쉬엄 걷다보니 지난번 폭설에 꺾인 생솔 가지가 눈에 들어온다. 사철을 꼿꼿하다가도 고만한 눈을 이기지 못하는 장정 소나무를 목격하면, 한낱 범부인 나도 애가 탄다. 키 낮은 다복솔이 뒤집어쓴 눈을 털어내며 조금은 가벼워진 기분. 고맙게도 무릎 사정이 여의해 감사할 일이지 싶다.

솔숲 사이로 어른대는 겨울 바다가 물새 날개 짓에 실려 낮은 휘파람을 불어댄다. 파도와 백사장이 소나무 둥치사이로 필름처럼 지나는데 하늘은 쾌청. 내 옆을 부부로 보이는 두 사람이 앞지르기 시작했다. 웬 실성한 아낙으로 오인될 수도 있으련만 다행히도 개의치 않는 눈치다. 그렇지! 오늘 내 외출은 지극히 정상인 거야. 그들 따라 걷는 걸음이 한결 수월해졌다. 두 사람 사이에 말이 없는 것 같아 뒤를 따르기가 조심스럽다. 오늘 같은 날, 아무나 할 수 없는 산책인데 제발 아픔 같은 건 없기를 바라는 맘에 거리를 두고 걷는다.

드디어 치유의 공간이다. 두둑한 솔가리 바닥에 다리를 뻗으면 내 집 툇마루보다 편안하여 지기들이 살뜰히 보듬는 자리다. 올 때마다 바다와 마주하고 가슴을 식히는 고향 선배의 자리. 눈이 봉긋하다. 숨 가삐 달려온 파도가 수십 필의 옥양목을 풀어헤치듯 뽀얀 포말을 흩뿌리고 간다. 저렇게 부서지는 바다를 품어야 숨통이 트인댔으니 함께 온 이후로도 선배는 몇 번을 더 다녀갔을 게다. 시신 장기기증을 확정짓고 삶이 경건해졌다는 선배가 먼저 노랠 띄우면, 함께 어우러지는 하모니가 해파랑 숲을 넘실대는 곳. 이제껏 함께 공유해온 자리지만 겨울 설경이어서 더욱이 짜릿하다.

아기 솔 군락지에 이르면, 후대의 세상까지도 담론으로 펼치며 솔바람 솔향기에 취했던 곳! 송화 가루 폴폴 날리는 숲에서 아름답게 살아갈 날들을 토로했었다. 삼림욕의 가치 말고도 눈, 귀, 가슴을 열면 마법처럼 영혼까지 치유되는 여기. 이 숲이 우리 가슴에 낸 길이야 말로 더없이 맑을 거란 확신을 갖게 되지 않았던가.

엉덩짝 붙일 만큼만 벤치의 눈을 밀어낸다. 지난 가을 폰에 담았던 해란초를 꺼내 눈 맞춤을 한다. 지금은 보송한 솔가리 밑에서 겨울잠에 빠져있을 생각에 흐뭇하다. 송림 사이로 앞서간 부부가 점차 멀어진다. 걸작 영화의 한 장면이다. 이 장면 속에 들어와 있는 나 역시도 그러하리.

저 산책로 모퉁이에 이르면 이 숲길을 무던히도 사랑했을 어느 망자의 혼백이 한그루 해송 밑에 붉은 영산홍으로 피었던 이태 전이 떠오른다. 봄을 고대하며 열심히 꽃망울을 빚고 있을 거란 생각을 하며 자리에서 일어난다. 돌아가야 할 시간이다.

긴 겨울을 견디며 침묵에 들어간 숲이 동쪽에서 오는 해풍에 깨어나려면 아직 얼마를 더 기다려야할지 가늠이 되지 않는다. 혹한에 초췌하고 헐거워지긴 했어도, 다시 연초록 봄으로 살아나 바람 사납던 모래톱에서 보드라운 생명을 키우느라 분주해질 날도 멀지 않음을 안다. 이른 봄 시린 손에 갯방풍 한줌 뜯어들고 행복에 겨웠던 아낙. 오늘 느닷없는 겨울 출행에서 숲에 드나드는 바람이 어서 순해지기만을 염원하며 발길을 돌린다. 설경에 심신을 헹구고 숲을 나서는 발걸음이 가볍다.

이미 내 안에 봄이 오고 있음인가. 옆 지기에겐 꽃집 둘러보고 왔노라고 프리지아 한 묶음이면 될 터이다.

『후조문학』 2018.

아파트에 튼 둥지

소담한 '나의 봄'을 기다린다.

넓은 뜰도 아니고 제대로 꾸며진 화원은 더구나 아니지만, 베란다에 둥지를 튼 식구들이 동면에서 깰 때가 멀지 않아서다. 혹여 재회하지 못할 녀석들이 생길까봐 조바심이긴 해도, 입춘 무렵이면 으레 시작되는 설렘이다. 목을 빼고 기다려주는 주인장을 저들도 알 터인즉. 오매불망 정든 임 못지않다.

이 식솔들은 주인이 베푸는 사랑을 용케도 안다. 살던 터를 떠나와 답답한 곳에 갇혀 사는 목숨이라 급수며 실온 조절을 놓치면 낭패를 보기 십상. 동절기에도 창을 열어 외기外氣를 쐬어야 하고 때론 엷은 햇살이불도 덮어 주어야 한다. 까딱하다간 잎만 달고 건들건들 한 해를 지내는 녀석들이 있어 방심했다간 큰코다친다. 여리고 수수한 모양새라도 궁극엔 꽃까지 만나자고 하는 일이니 잎 떨구고 분 안으로 꼭꼭 숨은 후라도 갓난쟁이 돌보듯 맘을 써야 한다. 저들에게 해주는 뒷바라지만큼 재주껏 보상을 하는 법이어서 여간 살갑고 고맙지 않다. 연둣빛 새 촉으로, 앙증

맞은 꽃으로 내게 다시 와줄 휘하의 목숨들을 둥둥 북소리라도 울리며 맞이할 준비를 서두른다.

지인에게서 앵초 세 포기를 분양받아 내 딴엔 공을 들여가며 개화를 기다린 적이 있다. 분이 얼세라 보온에만 관심을 두었지 꽁꽁 언 겨울을 나야만 꽃을 본다는 걸 모르고 있었다. 무성한 잎만 들여다보다가 그해를 허송세월 하고 말았으니 풀꽃에게서 생명의 섭리를 배운 셈이다. 본디 제 살던 데서 비바람 눈서리 맞으면서 때 되면 싹 틔우고 꽃도 피웠을 생명들. 내 치마폭에 가두고 산 셈이니 분명 염치없는 짓이긴 했다.

"우릴 그렇게 모르면서 한 식구로 지낼 생각이었다니요!" 필시 나를 향한 앵초 삼총사의 힐난이 작렬하지 않았겠는가. 이듬해부턴 가혹할 만큼 추위에 적응시켜왔더니 봄이면 방긋거리며 꽃잎을 열어 반긴다. 필시 올봄에도 튼실한 꽃대를 올려 화사한 자태로 오실 것이니 이만한 귀빈이 또 있으랴.

지난 해는 시인의 뜰에서 노랗게 꽃불을 밝히던 '낮달맞이'에 반해 식구로 맞아들였었다. 겨울 내내 뒤쪽 베란다에서 서러울 법도 했으련만 세한 추위도 아랑곳 않고 튼실한 초록 방석을 틀고 앉아 저 보란 듯 양양하다. 흙속에서 겨울을 나는 앵초 하고는 사뭇 달라서 겨울 동안 저리도 암팡지게 세를 키운 걸 보면 올해도 틀림없이 충성을 다하리란 맹세인 것 같다. 진노랑 꽃빛을 못 볼까봐 안달일 필요가 없고 제 소명을 다하는 데 게으름이 없으니 이 고마움을 어디에다 견줄까. 달덩이 같은 꽃무리를 무더기로 피워낼 땐 한밤중에도 화등잔처럼 주위를 밝혀주다가도 그 호사가 실로 찰나일 만큼 짧은 게 흠이다. 금세 떨어진 꽃잎을 주워들고 애석해 하지만 어쩌겠는가. 그것이 제 삶의 궤적이고 이치인 걸.

곰실곰실 덩굴손을 내밀어가며 해마다 경이로운 여름철을 연출하는 '까치오줌통'은 지난해도 까치무늬의 씨앗을 맺어 파종해줄 날만 기다리고 있을 터. 솔밭 그늘이 간절해지는 여름날, 쥐방울덩굴(까치오줌통)이 블라인드를 타고 펼치는 그린-퍼레이드를 바라보노라면 경이롭기까지 하다. 이에 질세라 보랏빛 행진을 연출하며 나팔꽃도 거든다.

이 소담한 공간에서 생명의 섭리를 깨달으며 덤으로 생의 이치까지도 깨우치게 된다. 봄으로 시작하여 다시 새로운 봄을 맞기까지 문밖을 나서야만 갖게 되리라던 자연과의 교감을 아파트에서 누릴 수 있으니 이보다 더한 힐링이 또 있을까. 자질구레한 야생초의 삶을 차려놓고 자연이라 일컫는 나. 작은 씨앗 한 톨에서 우주의 법칙까지 알아가는 기쁨으로 소확행을 누린다.

우루루 웰빙을 쫓아가는 시대라 채널마다 쏟아내는 자연치유 프로그램이 높은 시청률을 올리고 있다. 자연인이라 자처하는 사람들의 삶이 인기를 얻고 있는 것. 이들의 산중 생활과 진기한 먹거리며 기거형태가 시청자의 흥미를 자극한다. 때론 내 한 몸 편하기만 하면 그만인 무위도식형 삶. 세상사에 염증을 느껴 자연에 귀의했다는 칩거 형 삶이 거개를 이룬다. 귀결점 역시 대자연에 귀의해 건강을 찾게 됐다는 '해피엔딩'이지만, 그네가 말하는 자연의 은혜를 저런 식으로만 해석할 일인가 반문하고 싶을 때가 있다.

대중의 호기심이 자칫 건강 염려증을 유발시켜 급기야는 산야초를 찾는다고 분별없이 몰려가는 사태가 생기지는 않을지. 단잠에 든 겨울 산을 파헤쳐 대물을 만났다고 쾌재를 부르고, 시청자들은 눈을 반짝이며 흥분한다. 무슨 열풍이다 하여 건강 열병을 앓는 것도 그러려니와 산으로 계곡으로 몸을 숨겨야만 건강을 보장받을 수 있다는 통념에 빠질까도 우려스럽다. 너나없이 청정자연만 찾아간다면 우리가 엉켜 살아가는 삶의 터는 누가 지키며 버려진 도시는 어떻게 회복시킬 것인지.

발길이 닿지 않는 자연이 아니어도 도처에 우릴 기다려주는 은혜로운 곳곳이 있음을 알아야 할 것이다. 외딴 시골 길가에, 좁다란 논두렁 밭두렁에, 심지어는 도시의 창가에까지 어김없이 손길을 뻗쳐 생명을 불어넣는 게 자연의 소임이다. 그 가치와 소중함을 아는 사람이라면 적당히 취하고 적게 버리는 소시민 삶도 참자연인이 되는 길임을 알 것이다. 작은 생명 하나에도 생존의 순리를 지키는 힘이 작용하고 있음을.

생명을 잉태시키고 소멸에 이르는 질서를 정하여 우주의 순환을 관장하는 자연의 위대함을 믿는다. 그러기에 내게로 와서 올망졸망 자연의 둥지를 틀어준 식구들이 더없이 미덥고 사랑스럽다. 비싼 거래를 치르고 오는 지체 높은 귀물이 아니어도, 하찮고 사소한 풀꽃 목숨으로도 친구가 될 수 있음에 이 봄도 난 행복한 여인네가 될 것 같은 예감이다.

자연의 가장 아름다운 발명이 '생명'이라 하였으니 말이다.

『산림문학』 2015. 여름

경호 있으매

솔향 강릉이 옹골진 가람을 품었다. 자연 석호에 수면이 거울 같아 경호鏡湖라고 이른다. 천혜의 랜드 마크에 빼어난 풍광을 지녀 이 고을 명성이 더 빛을 내는지도 모를 일이다. 최적의 경관에 청정지수까지 높아 행복도시, 녹색도시라 칭할 만하다.

옥빛 하늘에 남청색 바다와 맞닿은 곳. 멀리 가까이에서 다소곳이 산줄기가 내려와 명품 호수에 자리를 내주었다. 황금 닭 강릉이 '경포호'라는 보물을 안았다고 할까. 복 받은 고을 임영의 고장임에랴 더 이를 말이 있겠는가. 철철이 시시때때 매양 다른 맵시로 감흥을 불러와 발길이 끊이지 않는다. 경포대 누각 안의 '第一江山'이 괜한 소리가 아니다.

바람이 없는 날, 미동조차 않는 수면을 응시하고 있으면 와락 그리움이 밀려와 안긴다. 갈피갈피에 숨었던 기억이 솔솔 풀려나와 회상의 시가 되고 노래가 된다.

봄꽃이 부풀 즈음 호수의 거동이 조용해지면 허리께를 넘는 물속에 들어가 종일 부새우를 떠내던 아낙들. 멀리서 바라만 보아도 한기가 스며들던 모습은 종적을 감춘 지 오래다. 식구들 저녁끼니 걱정도 잊은 채 석양 무렵까지 물질한 전리품(?)은 이튿날 풋마늘 숭숭 썰어서 끓인 별미가 되어 시장 어귀에 앉으면 금세 동이 나버리던 사연. 그때 그 시절을 알기에 꿈속이듯 아득하다. 이곳 사람들 입에 '딱'이던 부새우 맛은 경포호가 40여 종의 어류가 자라는 염호鹽湖로 바뀌는 바람에 난장 어느 골목에서도 찾아보기 힘들게 됐다. 서운하지만 어쩌겠는가. 이 또한 세월인 것을….

대관령 등성이 위로 비단 필을 깔아놓는 놀에 홀리다보면 쉽사리 자리를 뜨지 못하는 것도 이 몸 역시 노을 녘이어서 그럴 터이다. 흐드러진 벚꽃 길에 미혹되던 젊음보단 꽃비 되어 떨어지는 낙화가 더 아름답다고 말하는 지금, 내 사유도 같은 이치일 테니까.

호수 서남쪽으로 조성된 생태습지원은 어느새 수생식물의 보고로 터를 잡았다. 연꽃 정원에 나룻배로 건너보는 가시연 발원지며 조류 탐조대, 널찍한 생태습지를 두루 보려면 한나절로는 역부족이지 싶다. 보행로를 따라 걸으면 될 일이지만 그늘에서 쉬어도 보고 곳곳의 진기한 넝쿨열매며 달덩이로 익은 호박도 안아보아야 탐방의 묘미를 안다. 음이온이 충만하여 곳곳이 포토 존. 함께 나선 길이면 즐거움이 배가 되어 하루해가 아깝지 않다.

초록이 성성해지면 백연과 홍연의 향연을 만날 수 있다. 눈이 부신 연꽃 단지는 화엄의 경지를 연출하며 무아경으로 이끈다. 흰옷에 볼연지를 찍은 아리따운 가인들이 나직이 말을 건넨다. "비우셔요!" "내려놓으셔요!"라고. 잠시 눈을 감았을 뿐인데도 허한 심사가 다스려져 '코로나 팬데믹'이란 어이없는 시대의 수난도 이겨낼 것만 같다.

연꽃 철이 끝나면 뒤이어 가시연 상봉에 나서는 게 순서. 반세기를 매토 종자로 숨어 있다 습지 복원공사로 홀연히 나타난 귀하신 몸이다. 이 불가사의한 귀인의 출현에 시민의 환호가 하늘을 찌를 듯 했었다. 그게 언제 적 일인가 싶은데 가시연 상면 날짜를 받아놓으면 아직도 설레는 까닭은 이곳 여인네들 인지상정인지도 모른다.

가진 걸 죄다 내어주는 연과는 달리 이 새침한 주인공은 제 모습을 드러내는데 퍽이나 까다롭다. 두레 반 크기의 잎을 떡하니 펼쳐놓고는 겨우 서너 송이로 오실 뿐이니 야속하지 않은가. 멀리서 이 가인을 보러 왔다 허탕을 치고 돌아서는 내방객을 보면 여간 미안하지가 않다. 내 집 손님을 빈손으로 돌려보내는 심경이랄까. 가시연의 개화율이 1퍼센트에 못 미치니 아쉬워도 행운을 기대할 수밖에….

강릉 쌀 수백 섬이 거뜬히 소출되던 농지가 갈 숲이 무성한 철새 도래지로 변모했다. 경포호수의 진객인 큰고니를 비롯해 희귀 조류가 해마다 늘고 있음은 새들의 천국임을 입증한다. 어쩌다 일생일대의 한 컷을 위해 노심초사하는 사진작가들을 만날 때가 있다. 이를 지켜보노라면 고적감을 이겨가며 오로지 순간포착에만 몰입하는 프로정신에 경탄을 금할 수 없게 된다. 스쳐 지나고 나면 그뿐이지만, 그들에게 역사적인 순간이 될 찰나를 함께 함이란 '동행'이라는 의미로도 각별하지 않을까 싶어서다. 운 좋게 촬영이 성공하여 엄지손가락을 쭉 치켜세우면 그도 웃으며 허리를 굽힌다.

호수를 주름잡는 안주인 격은 뭐니 해도 청둥오리다. 솜털 보송보송한 새끼를 졸졸 거느리고 물에서 노니는 세리머니를 눈여겨보면 인간의 모성母性이나 진배없음을 알아 감격스럽기 그지없다. 언제 보아도 외따로 떨어져 있길 즐기는 고독한 재두루미도, 비행 도중 어쩌다 들르게 된 이름 모를 새도 이 경포호수에겐 하나같이 귀한 손님이다. 물 안에 이들 먹거리가 지천이니 무슨 걱정인가. 새들아, 훨훨 날아오너라! 어서 어서 오너라! 목청 높여 불러들이고 싶다.

경포 호반을 한 바퀴 돌아본 사람은 여기가 솔향의 문화예술을 집약해 놓은 곳임을 알 것이다. 시비 · 조각공원 산책로엔 건립된 시비만 해도 스물 하나! 문향 강릉을 대표하는 작고 시인들이 호수를 향해 시나브로 시혼을 흘리고 섰다. 이곳이 본향인 사람들에겐 한때 숨소리까지도 기억할 만큼 가까웠던 죽마고우이고 시우들이 아니었던가.

혹자는 향토시인만 기릴 것이 아니라 세계의 시성들도 초대되어야 한다고 제의하지만 글쎄다. 강릉의 온건 기질이 이를 수용할지 궁금하지만 국제 관광도시로 변모 중인 '문화 · 인문도시'가 통 크게 선의(?)를 베푸는 것도 생각해 봄직한 일이 아닐는지.

조각가들의 작품 역시 시비 사이사이에 비중 있게 배치되어 4.3 킬로의 십여 리 산책로가 옥외 전시관이라 해도 손색이 없을 정도다. 조형예술품에 대한 이해가 비록 저급하긴 해도 담대하고 역동적인 이들의 뜨거운 예술혼은 가늠이 충분하다.

초당생가 터와 인접한 '홍길동 캐릭터로드' 1km 구간엔 21개소 32개의 캐릭터가 안치되어 발길을 붙잡는다. 유심히 뜯어보면 등장인물 하나

하나에 해학적인 표현과 유머가 가미되어 신박한 재미와 웃음을 선사한다. 바로 옆 '교산교'를 건너면 허균 · 난설헌 기념관. 우스개지만 어떤 이는 이 캐릭터로드를 감상하는 2,30분에 홍길동전 한권을 읽어내는 묘수를 지녔다며 호탕하게 웃는다. 생각만 해도 재밌는 세상이라며….

이 소설 속에 들어갔다가 초당 솔숲에 앉으면 멀리서도 늠름한 경포대의 자태가 더없이 수려하다. 그 옛날 강릉사람들에게 구전돼 왔다는 노랫가락 하나가 불쑥 떠오른다.

> 대관령 상상봉의 저녁노을은/ 경포대 난간 위를 곱게 물들였네.//
> 달맞이 가는 손아 성급히 마라/ 초당마을 저녁연기 퍼지지 않았네.//

송강 정철의 '관동별곡'에 등장했고, 수많은 시인 묵객들의 문학작품에 소재가 되었던 경포대를 마주보며 솔향에 뿌리내리고 사는 여유를 만끽한다. 여기에 내 어머니 품과도 같은 푸근한 경포호수가 있음이며, 강릉사람으로 살아가는 긍지가 호젓한 산책만으로도 넉넉히 채워지기 때문이 아니겠는가. 대관령에서 불어내리는 바람이 호수를 건너와 휘파람이듯 귓가에 살랑거린다.

"이젠 일어나시구려!"

『강릉 가는 길』 2020. 가을

꽃보다 초록입니다

봄이 연초록으로 깨어나느라 부산합니다.

시린 계절에 갇혀 지내느라 곤욕을 치렀을 생명들이 부신 광채를 발합니다. 터뜨리는 환성이 골짜기마다 왁자합니다. 멀리서도 시야에 들어오는 연둣빛 웃음이 기쁨으로 안겨와 이 찬연한 봄날이 마냥 축복입니다.

신록을 '무한 음역의 초록 악기'라고 합니다.

누구든 봄의 향연이 펼치는 감흥에 말문을 닫고 있을 수는 없는 까닭이지요. 아무도 흉내 낼 수 없는 봄날의 판타지는 대자연이 연출하는 장엄한 오케스트라라 칭송해도 모자랄 듯싶군요. 하루 이틀 사이에 피어나는 잎새도 저마다 다른 표정으로 음표를 달고 나와 봄의 축제를 거듭니다. 군데군데 산 벚꽃이 화음을 넣으면 산야는 형언키 어려운 감동으로 봄의 서곡을 연주하죠. 관객은 무아경에 도취되어 점입가경입니다. 봄의 신전에 푸른 환희가 출렁입니다.

산사로 향하는 길에 들면 불편한 산길도 비단길처럼 편안해짐을 압니다. 편한 길이 아니어서 더 사려 깊어지고 정이 가니 말입니다. 연록과 진초록의 숲으로 새어드는 빛살은 신의 계시처럼 마법을 걸어와 가슴속에 박혔던 옹이들이 사르르 녹아내립니다. 안간힘 쓰지 않아도 절로 내려놓게 되는 숲길. 나무의 음성을 들으며 다시 싱싱해지는 꿈을 꾸는 건 얼마나 감사한 일인가요.

아장아장 걸음마를 떼는 새순의 옹알이도 알고 보면 서로 따뜻해지라는 귓속말일 겁니다. 숲이 전해주는 말을 새겨들으며 봄의 초대에 나오길 정말 잘했다는 확신을 갖게 됨은 초록에서 나오는 파장이 모두 기쁨이고 축복이기 때문이지요. 청청한 소나무 떼의 위용을 으뜸으로 꼽기도 합니다만, 이즈음엔 천연수림이 피워내는 신록에 마음이 더 쏠린답니다. 고운 연두로 차려입은 봄옷 자락은 어떻고요. 살짝 스치기만 해도, 바라만 보아도 사랑이 고여 온몸을 흐릅니다. 때 묻은 마음을 꺼내기가 무섭게 말갛게 헹구어줄 것만 같은 청정 낙토가 이곳 말고는 없을 듯싶군요. 잿빛 겨울을 참고 견뎌준 봄님의 배려요 선물임에 감격하지 않을 사람이 없습니다.

소싯적엔 늘 집 뒷산과 들에서 논밭을 벗하며 지냈습니다.

논두렁 밭두렁을 지나 새보러 다니는 심부름은 늘 제 몫이었고요. 논김을 메는 할아버지께 물주전자를 나르며 모살이로 파랗게 덮여가는 논을 바라보는 기쁨을, 호박 섶 뒤적여가며 애호박 따내는 즐거움을 무시로 알았네요. 순종 잘 하는 손녀를 위해 할아버지가 매어준 그네를 타며 무던히도 뒷산을 헤집고 다니며 하루해가 짧았습니다. 그 시절 눈에 띠는 것, 찾아내는 것들은 모두 살아 숨 쉬는 초록. 그네들과 가까이 지내며 날이 저무는 줄을 몰랐다니까요. 살구나무, 자두나무로 둘러싸인 생울타리며, 텃밭 푸르디푸른 봄보리 물결까지 외딴 '밭가운집'에서 자란 제 유년은 초록물감에 흠뻑 물들 수밖에 없는 시절이었는지도 모릅니다.

이 나이에도 녹색이라면 긍정부터 하게 됩니다. 베란다 가득 녹색으로 채워주는 초화분에서 주방의 집기까지. 작은 꾸러미 하나도 연두색 리본으로 묶으면 건네는 기쁨이 클 수밖에 없어요. '그린'의 색감이 주는 고무감에 길들여져 일찌감치 마니아가 돼 버렸으니 어쩔 수 없는 일입니다.

자연친화적이어서 갈등과 불안을 해소하는 데도 녹색이 단연 으뜸이죠. 오래 보고 있어도 피로하거나 싫증나는 법이 없어요. 지치고 힘든 이들을 포근히 안아 들여 불안감을 덜어주고 고통까지도 함께 나누는 마술을 부리니 말입니다. 이처럼 무상으로 받는 처방전이 또 있을까 싶습니다. '초록우산', '초록마을', '녹색혁명', '녹색인증'. 이들 마크가 내걸고 있는 가치와 상징성을 보더라도 녹색은 사랑이고, 행복이고, 생명 자체임을 알게 합니다. 얼마나 뿌듯한지요.

전대미문의 바이러스 공격에 지구촌이 몹시도 비틀거립니다.

이 절망의 늪에서도 희망을 품게 하는 건 우리 곁으로 어김없이 찾아와 주는 초록의 잔치가 있기 때문입니다. 악질 코로나가 종지부를 찍을 날만 고대하며 사람들은 어둠을 털고 신록을 찾아 나섭니다. 초록 숲 나들이가 얼마나 큰 행운인지를 아는 사람들이지요. 이 싱그러운 품에 안겨 가슴을 열고 숨결을 가다듬으면 얼마나 편안해지는가도 말입니다.

봄이 설렘인 것은 동면에서 깨어난 신록이 우리에게 희망을 가르치기 때문이 아닐까요? 봄이란 계절을 말하면서도 사람들은 흔히 꽃을 먼저 떠올릴 겁니다만 지금 우리에게 절실한 것은 '초록 생명수'를 마시는 일일 것입니다. 화려한 자태로 봄을 여는 '꽃님이'의 존재도 소중하겠지만, 꽃의 속성만을 쫓아가느라 세상이 화려하고 외양만 추구하는 우를 범하지 않기를 바라는 마음 간절합니다.

하여 이 한마디를 꼭 던지고 싶습니다. "꽃보다 초록입니다."

제8회 산림문학상 수상작

이 나무의 헌신

고슬고슬 찐 찹쌀에 견과류를 버무려 연잎 위에 올린다. 뜨거운 팬에 굴린 연두 세 알을 화룡점정으로 얹고 연잎을 싼다. 이 별식의 마무리는 뭐니 해도 은행이 올라앉아야 제격인 것. 개수를 세어둘 만큼 소량이지만 내겐 각별한 의미를 지녔다. 금싸라기 아끼듯 한 터라 모두 털고 나니 서운하다. 그래도 김 한 번 더 올리면 역작의 먹거리가 탄생되니 마음은 천국에 가 있다. 과육 질을 벗겨내느라 곤욕을 치르던 기억도 안녕이다.

작년 가을이 끝나 갈 무렵, 장롱면허 소지자가 유유자적하기 딱 좋은 곳에서 은행 두 움큼을 손에 넣었었다. 은행나무 열매가 악취를 풍겨 민원이 빗발친다는 보도를 접한 후였음에도, 난 그 애물단지(?) 열매를 주웠던 거다. 가을 내내 눈부신 금관을 쓰고 있던 나무가 마지막으로 떨군 눈물이란 생각에 그랬을지도 모른다. 아무튼 겉의 과육은 조금조금 말라 가는 중이었고 보송한 연갈색 열매가 눈에 밟혀 그냥 돌아설 수는 없는 일이었다. 가지에 매달려 끝까지 안간힘을 썼을 거란 애잔함이 고 녀석들에게 행운을 안겼는지도 모른다. 그렇게 내게로 온 은행 마흔일곱 톨이 우윳빛 중피中皮에 싸여 고이 모셔졌던 거다.

은행나무가 귀했던 시절, 한방이나 민간요법에 주로 쓰이던 약재가 지금은 골칫거리가 되고 있다니 격세지감이 아닐 수 없다. 그날 방송에선 암그루를 수나무로 모두 교체하고 수나무만 감별해서 심어야 한다고 목소리를 높이고 있었다.

"수나무만?" TV를 지켜보다 나도 모르게 묘한 감정이 일었다. 더구나 은행나무를 아주 없애 달라는 민원까지 있다니 이 어이없는 요청엔 심사가 불편했었다.

현존하는 식물 중 이 나무만큼 오래 살아온 수종이 또 있을까. 공룡시대 훨씬 이전부터 2억 7천년을 지구와 함께 해온 '살아있는 화석'이라 일컫는다. 척박한 땅에서도 천년을 넘겨 사는 내공하며 탁월한 탄소 흡수율로 공기정화 1등 풍치수로 각광받고 있지 않는가. 삭막한 도시의 가을을 황금빛 낭만으로 데려가는 연출력은 또 어떻고. 농촌이나 가정에서 손쉽게 이용할 수 있는 팁 또한 다양하다.

잎에서 추출되는 '징코 플라톤'은 혈류 장애 개선에 효자 노릇을 하고 치매 조기치료에까지 공헌하는 사실을 과연 사람들은 아는 것일까. 이 나무의 의로운 헌신을 어찌 다 꼽을까만, 공해 해결사에서 사랑꾼 관상수로, 현대 의학에서 신박한 치료사 역할까지 감당하고 있음이 가히 독보적 존재임엔 틀림이 없다. 거기에 우리 땅의 은행잎이 제일 두꺼워 약효가 세계 으뜸이라니 신명난 춤이라도 춰야지 싶다.

잃어버린 봄이라고 실의에 잠겨있다 문밖을 나서보면 인간을 제외한 모든 생명체는 '이상 없음'이라고 고한다. 지난겨울 가로수 둥치만 남기고 쳐내던 은행나무가 애가 탔었는데 어느새 가지를 불려서 무성하다. 지구촌은 만신창이가 돼가는 중인데도 자연계는 인간사와는 사뭇 다른 경계에서 소임을 다한다. 마스크를 벗고 초록으로 청청한 가로수를 따라 걷는다. 여느 때보다 공기가 달큼하다. 아이러니 하게도 유례가 없던 환란이 가져온 유례없는 반전이 아닌가.

하늘 향해 쭉쭉 뻗은 기세가 하나같이 기운찬걸 보면 모두 수나무 일색인데 흡사 청록의 제복 차림으로 보무당당 행진하는 푸른 병정들 같다. 여느 땐 느끼지 못했던 쾌적함이 청정해진 대기 덕분인 듯. 영어의 몸으로 지내다시피 한 날들을 보상받는 기분이다.

가로수를 끼고 걷다보면 간혹 연한 녹색에 잔가지를 많이 친 암그루를 만나게 된다. 구척장신 장정들 속에서 여릿한 여인네를 발견한 것 같아 반갑기 이를 데 없다. 몸피를 위로 불리는 수나무와는 달리 암그루는 사방으로 가지를 뻗어 그늘도 더 깊고 너른 품을 지녔다. 우리 인간의 성과도 상통하는 그 무엇처럼 말이다.

하여 은행나무 가로수를 깡그리 수나무로 교체하는 데는 동의하기가 어렵다. 느긋한 기질로 버텨온 충성스럽기만 한 수목이라 해도 저희끼리만 살라 하면 너무 서럽지 않을까. 꽃가루를 날려 보내 암그루에서 풍성히 은행이 달리기를 바랄 터인즉. 무릇 만물에 부여된 생명의 섭리를 인간이 필요 이상으로 억제할 수는 없는 일이다.

할머니 손에 구워져 하루 서너 알 씩 손주들 입에 들어갔던 생약이 바로 은행이었다. 철모르고 지난 세월인데도, 그 기억 덕분에 생 은행도 주물러보았고 그래서 귀한 것인 줄도 알았다. 할머니의 볶은 은행을 제일 많이 받아먹었던 동생 녀석이 순서도 모르고 앞서 간 지금, 이 누이가 연밥 한 덩이를 먹이지 못해 목이 멘다. 천년의 운명을 타고난 노거수老巨樹에 비하면 찰나를 살다 가는 인간이어도 지킬 도리가 있기에 나는 '헌신의 나무'에 고개 숙여 찬사를 보낸다.

"고맙고 고맙소!"

『산림문학』 2020. 가을

대관령

나는 산책길에서나 차 한 잔을 마실 여유가 생길 때면, 굳이 대관령이 마주보이는 자릴 물색해서 앉곤 한다. 초당 솔숲에 서향으로 앉힌 널찍한 벤치는 고맙기 그지없고, 경포호반을 걷다가도, 작은 찻집에 들어서도, 바다 쪽으로 시선을 주기보단 각기 다른 채도의 실루엣으로 자태를 드러내는 대관령의 파노라마를 만날 수 있어 더없이 행복하다 여기며 산다.

철마다 전해지는 감흥이 다르고, 그때그때 절묘한 색채와 감동으로 다가와 멀리서 꿈꾸는 그림이듯, 바로 지척에서 건너온 친근한 벗이듯 하여, 강릉 사람이면 대관령과 진한 사랑에 빠지는 게 당연한 일 아니냐고 우기기도 한다. 산 벚꽃과 연둣빛 신록의 하모니로 파스텔화도 같았던 사오월의 비경을 뒤로 하고, 대관령은 지금 짙은 음영의 유월로 접어들며 서서히 몸을 부풀리고 있다. 멀리서 건너다보일 뿐인데도 발길이 닿았던 곳곳을 되짚어가며 사유를 즐길 수 있음도 나만의 호사가 아닐 수 없다.

오늘도 전망 좋은 창가에서 커피 잔을 비우며 원경으로 펼쳐지는 대관령의 일몰 속으로 몰입되는 중이다. 다홍빛 놀이 비낀 선자령 허리춤을 따라 순백의 드레스 차림으로 우아한 왈츠라도 추듯 풍력 발전기의 우아한 군무가 황홀하다 못해 신비스럽다. 이게 칼바람이 들고나는 대관령 정상에서 벌어지는 실제일까 의아스러울 만큼…. 금산 벌에서 단숨에 치달아 오르면 15분이면 관통할 수 있다는 대관령 구간이 어느새 가로등 불빛으로 부드럽다. 아직은 완연한 어둠이 아니라서 담채화 한 폭 인양 곱다랗다.

학창 시절, 수학여행 길에 오르며 새가슴마냥 콩닥거리다가 악몽 같던 차멀미를 겪은 게 아흔아홉 구비 대관령 고개였다. 아이들 인솔하고 무슨무슨 대회다 하여 어렵사리 고생길을 넘나들었던 그 치기 넘치던 시절이며, 폭설에 막혀 이틀 밤을 새우고야 귀가할 수 있었던 혹한속의 기억이 선연해도, 대관령이 내게 운명처럼 절친으로 매겨지는 건, 학교경영의 임무를 부여받고 대관령을 오르내리며 수행했던 작은 스키학교의 쾌거 때문이기도 하다. 동화나라 성냥갑만 했던 소규모 학교가 동계 체전 스키종목을 휩쓸며 환호했던 날들이 꿈결 같기만 하고, 유수의 오페라단과 무대를 함께 한 '대관령 작은 음악회'의 낭만과 벅참도 있었다. 지기로부터 전해들은 '보현사 수학여행'의 가슴 아린 사연 역시 대관령 일화에서 간과할 수 없는 목록이 되었다. 보현사 1박2일 수학 여행비를 대신했던 쌀 다섯 홉을 마련하지 못해 굴뚝 뒤에 숨어 눈물범벅으로 수학여행 친구들을 지켜보았다는 그 동창생,

"얘들아, 우리 쌀 모아가지고 보현사 수학여행 가자!"며 그 모질던 유년의 한을 장년이 돼서야 토로했다는 서글픔도, 은사님 모시고 보현사

계곡을 내 집 드나들듯 했었다는 시인 선배의 아름다운 회고도, 이제껏 대관령을 품고 살아온 강릉 사람이기에 그러했으리라.

대관령! 그냥 한번 지나쳐 보는 것만으론 가늠되지 않는다. 풍경소리 청아한 산사에서, 아니면 물소리 서늘한 어느 개울가 작은 초막에서라도 하루쯤 묵어보아야 속내를 헤아릴 수 있고 여기에 고단한 마음의 짐까지 내려놓으면 대자연과 합일이 되는 자신을 발견하게 된다. 게다가 넘치고 지나치면 모자람만 못함을 깨달을 수 있으니 조금은 부족해도 이게 사람 사는 도리가 아닌가 싶어 산사람이 되어 돌아오는 길은 마냥 기쁘기도 하다.

예전의 구 도로로 접어들어 쉬엄쉬엄 오르다 보면 파노라마로 펼쳐지는 대관령의 사계에 넋을 잃을 때가 많다. 반정 길목에 잠시 비켜서면 북촌의 어머니를 그리던 사임당 시비가 있어 친근하고, 몸을 낮추고 살피면 떡갈나무 숲속에 들꽃이 지천이어서, 선현들이 한성 길에 옷자락 스치며 지났을 옛길에 홀로 있어도, 넉넉함과 오묘한 섭리에 반하게 되어 누구든 이곳을 사랑하지 않을 수 없게 된다.

먼 출행에 나섰다가 귀향길 정상에서 내려다보면 안도감 때문인지 꿈꾸는 듯 나지막이 엎드린 강릉이 그처럼 아늑해 보일 수가 없다. 내(川)는 실타래 내린 듯 흘러내리다 바다와 어우러지고, 소도읍 강릉은 바다를 팔베개로 대낮에도 조는 듯 가물거리다가 밤이 돼서야 현란한 불빛으로 화들짝 깨어난다. 영동인 만이 아니라 이곳을 지나쳐간 모든 이들의 기쁨과 아픔까지 함께 맞고 보내야 했던 표고 832m의 고개. 강원도민의 열정을 모아 세계의 이목을 집중시킨 채 그야말로 최상의 겨울 축제를 치러낸 설원이 아니던가.

강릉의 수많은 학교의 교가 가사로 면면히 이어온 대관령!

초당 선생께서 '내 인생의 초록물이고 보슬비'라고 술회한 가곡이 바로 이곳이며 향토색 짙은 민속 문화제로 명성을 얻어 강릉단오제의 설화가 비롯된 곳이 여기가 아닌가. 해마다 저명 뮤지션들의 감동적인 음률로 되살아나 세인의 심금을 적시는 '대관령국제음악제'며, 한국의 아름다운 길 100선에 당당히 이름을 올려 지형적 조건이나 위용보다는 그 안에 품고 있는 보배로운 정신문화가 더 아름다운 대관령은, 오늘도 녹음 청청 검푸른 머리채를 드리우고 먼발치로 강릉을 내려다보고 섰다.

한참을 생각에 잠기다 자리를 털고 일어나 다시 고개를 든다. 유연한 평행 곡선을 그으며 대관령 정상까지 이어진 휘황한 가로등 행렬이 더 영롱해지기 시작한다.

'내일은 자연휴양림이야.'

행복하고, 감사하고, 그리고, 가슴이 뛴다.

『강릉가는 길』 2012. 가을

솔향 푸른 이야기

강릉이 꽃띠 이름표를 달고 명품도시화에 나선 건 2009년부터지 싶다.

지경부 주최 '굿-디자인상'을 비롯해, 이듬해 「한글문화연대」에서 실시한 '우리말사랑꾼' 선정에서 '솔향강릉'이란 브랜드명으로 깃발을 올리면서, 저탄소녹색시범도시 지정이라는 엄청난 프로젝트까지 선물로 안았다. 이 명예는 2만 8079ha의 송림을 점유하며 천년 숨결을 간직해 온 '강릉 소나무'의 넘볼 수 없는 존재감 때문이며, 시민들의 소나무 사랑에서 온 쾌거라 생각된다. 이제 강릉은 세계적인 패러다임으로 제기되는 환경 친화적 도시로 변신할 날이 멀지 않음을 예고한다.

대관령을 관통해서 강릉의 관문에 들어서면 1km 구간에 도열해 있는 명품 소나무의 위용에 압도당하고 만다. 엄격한 심사를 거쳐 간택된 111그루의 사열을 받다보면 귀빈 나리로 초대받은 유쾌한 상상까지 하게 되고, 집총執銃 자세로 환송식에 나와 준 위병 행렬을 방불케 해 강릉을 가장 확실히 각인시키는 주역을 맡은 셈이다. 한국의 아름다운 가로수 길로 칭송받아 마땅하고 솔향의 자존심을 대변하는 파수꾼 역할을 이보다 더 잘해낼 수 없다는 게 정평이다.

나라 안 어느 곳에나 널린 게 소나무지만 강릉의 솔이 남다른 건, '문향 · 예향'으로 일컬어오는 동안 향토정서로 함께 동고동락해온 내공으로 보아야 한다. 충절과 지조를 지엄한 가치로 여겨왔던 임영의 선현들이 혼을 담아 지켜온 강릉의 솔이야말로 타 지역의 추종을 불허하리만큼 넉넉한 가치를 지녔다. 태곳적 신비를 품어 전국 일품으로 꼽는 대관령 휴양림. 솔향 수목원의 우람한 금강송은 경관만이 아니라 문화 · 예술 차원의 고고한 상징성을 봐서도 단연 으뜸으로 꼽는다.

동해안을 따라 초록을 두른 세계 제일의 풍치림은 해풍을 머금은 채 두툼하게 살이 올라 늘 생기로 넘쳐난다. 사철을 두고 솔빛의 변신 또한 절묘하여 산책에 나선 사람과 송림의 어울림이 차로 지나면서 보아도 일품이다.

담청색 수채화가 되었다가, 때론 청록 물감을 덧칠한 유화가 되어 희희낙락 파도와 어울리는 해파랑 숲은, 바닷가 찻집에서 노을 녘까지도 자리를 뜨지 못하는 이들을 매료시킨다. 강릉 사람이라서 행복하고, 내방객은 대관령을 넘어온 수고의 보상이 흡족하여 독립영화 한 편에 출연하는 주인공인양 그럴싸한 착각을 하게 된다.

경포 호반을 에워싼 구릉을 비단결이듯 감싸 안은 송림 사이로는 이웃으로 뚫린 빼뚤한 길이 이리저리 숨어 있다. 일방통행의 오솔길이지만 누구 하나 불평하지 않는 건, 이 길로 솔바람소리 동무해 학교 길 오갔었고 저녁 어스름마다 부모님 마중 나오던 그리운 길이기 때문인 것.

지금도 고샅길을 더듬어 노송 빼곡한 한 초가에 이르면 투박한 나무주발에 담겨 나오는 소박한 못밥 메뉴를 맛볼 수 있다. 본채에 들면 진품명품의 반열에 드는 반닫이에서 노마님이 꺼내 읽으시는 아슴한 새댁 시절을 덤으로 듣고 가니 그 여운이 오죽이나 깊을까 싶다.

초당마을 깊고 서늘한 노송 숲엔 요절 여류시인 난설헌의 문학 혼을 기리러 생가터를 찾는 발걸음이 잦은 곳이다. 고택을 돌아보고 담 너머로 드리워진 솔숲 그늘에 앉으면, 옛 천재 시인의 불운함이 떠올라 객의 가슴은 아련한 슬픔에 젖기도 한다. 그 처연함 때문에 철이 바뀌어도 초당 송림은 항시 서늘함이지만, 대관령 준봉을 불어내리는 된 바람을 막는 아늑함이 있어 안뜰인양 정겹다.

강릉 솔의 자존감을 천혜의 풍광으로만 논하기엔 부족하다. 전통의 맥을 이어온 고을답게 문화유산이 산재해 있는 곳엔 어김없이 여백의 미를 연출하는 소나무가 자태를 드러낸다. 어느 가을날, 임영관지臨瀛館地에서 동헌 추녀 끝에 눈길을 주다 눈에 들어오는 노송 한 그루에 심취해 4행시에 참여한 적이 있었다.

> 임영고을 서기어린 동헌 뜨락에/영겁의 세월 품어 푸르른 솔아
> 관동절경 시인명사 가을에 취해/지고지순 임영향기 그윽하누나

신봉승 작가가 장원작으로 꼽았던 것은 동헌 추녀 끝에서 화룡점정을

찍은 솔 때문이 아니었을까 싶다. 솔 이야기는 이후 더 풍성해져 저 혼자서도 영험한 가치를 완성하기에 이르렀다고 본다.

지금 행복도시를 향한 이 고장의 걸음이 빨라지기 시작했다. 녹색성장을 근간으로 하는 관광 · 휴양 도시를 겨냥해 경호 수변공간에 조성된 솔향기 공원이 무한사랑의 명소로 등극했다. 솔향기 그리울 때 언제든 만날 수 있는 곳. 강릉사람으로 살아가는 도리며 행복이 이보다 좋을 순 없다.

솔향 푸른 이야기! 이는 솔향기와 깊은 사랑에 빠진 아름다운 강릉사람의 운명적 만남이고 교류이며 긍지인 것이다.

「강릉가는 길」 2013. 7.

내 집이었네

서울서 기별이 왔다. 아버지 제삿날을 기해 평수 늘린 제 집을 선보이겠다는 것이다. 부모님 선영을 가까이 두고 한양 길을 간다? 사그라진 줄만 알았던 울화가 불끈 치민다.

"난 산소에 다녀오련다." 매몰차게 잘라버리지만 영 개운치가 않다. 내 마음 밭이 좁아서인가 싶다가도, 잔뼈 굵어 성혼하고 제 자식들 낳아 기르느라 갖은 정 켜켜이 쌓였을 생가. 누이들에게 통보 한 번 없이 대처로 옮겨간 놈을 무슨 수로 곱게 보겠는가. 아버지 기일 참여가 열 손가락에 못 찰 만큼 뜸했던 건 사실이지만 허물 감싸는 것도 법도가 있을 터인즉. 해가 거듭될수록 어이없게 증발한(?) 친가 생각만 하면 격해지는 심사를 걷잡을 수가 없다.

내 집을 떠나 남의 식구 되어 살아오는 동안에도 유년의 집 오랍뜰은 무시로 꿈이 되어 찾아온다. 삼대가 내리 화목했던 시절, 조부모님, 양친 모두 떠나시고 나서도 소싯적의 꿈은 어머니 곁을 다녀온 생시인 듯해 본가에 대한 애착은 집착을 넘어설 만큼 유별났었다. 그러다 고향 집의 부재를 알았으니 이게 무슨 변고인가 싶어 이성을 잃고 분기탱천 했었다. 경을 칠 녀석이라고 온갖 험담 퍼부으며 가슴을 쳤다. 내리사랑 지극하셨던 육친들 슬하에서 유독 심부름 좋아하는 여아로 자랐었고, 어머니 나긋한 음성에 묻혀 파노라마처럼 아름다운 유년기를 보낸 내 생애의 모태이며 숨터가 아니었던가.

할아버지가 서녘에 둘러 세운 갈참나무 울타리는 선산을 뒤로하고 오롯한 섬 같았던 '밭가운집'을 된 겨울바람으로부터 막기엔 더없이 아늑했었다. 이 든든한 울타리 사이에서 자란 자두나무에선 여름이 다 갈 무렵에도 샛노랗게 익은 자두가 떨어지곤 했다. 그 농익은 자두(우린 그 자두를 '밀꾀'라 불렀다)를 손에 넣는 기쁨에 난 애써 나무에 오르려 하지 않았다. 대충 개수만 헤아려두고 느긋하게 기다리기만 하면 되는 일이었다.

갈참나무 울타리가 헐리던 날, 키만 껑충했던 자두나무가 모습을 드러내자 그 볼품없는 모양새에 적잖이 놀랐다. 참나무 울타리 사이에 끼여 크느라 적잖이 고생했을 그 나무가 어떻게 그 신기한 열매를 떨궈 주었을까 여기며 말이다. 형언키 어려운 기쁨, 고마움을 난 일찍이 그 자두나무에서 배웠는지도 모른다.

그 후 우리 집은 분홍 줄 장미로 덮인 담장으로 새롭게 단장됐지만, 지금도 내게 찾아오는 꿈은 장미넝쿨도, 우리들이 가꾸던 꽃밭도 아니다. 울타리를 타고 또르르 굴러 내린 '밀꾀'를 줍던 기쁨은 옛적의 설렘 그대로 꿈에서 만나고 있다. 때론 새콤한 능금이 달리던 뒤란 장독대. 자글자글 초여름 볕에 꼬맹이 항아리에서 삭혀지던 풋감을 건져내던 일. 언제면 익을까 애태우며 지켜보던 뒤꼍의 앵두나무가 되기도 한다.

동편 디딜방앗간과 외양간으로 이어졌던 우리 집 별채는 촌가로 봐선 꽤나 튼실한 편이었다. 엄마와 언니 틈에 끼어 디딜방아 쿵덕거리는 재미에 땀을 뻘뻘 흘리면서도 이 일이 좋았다. 동풍 솔솔 넘나드는 방앗간 문밖으로 발갛게 익어가는 복숭아를 마주보는 기쁨이 작은 가슴에 요동쳐 왔다. 뽀얗게 떡쌀가루가 빻아진 후 따는 복숭아는 먹기보다는 손에 들고 다니는 즐거움이 더 컸다. 할아버지가 집 둘레에 심었던 유실수 덕에, 내 유년의 민감했던 감성은 그렇게 살이 오르며 깊고 따뜻한 심연으로 깔려갔던 것 같다.

이순 고개를 넘어선 이 나이에 생가의 그리움이 더해지는 건 모든 생명체에게 주어진 귀소본능 때문인지도 모른다. 먼 터울로 귀히 태어난 손자라고 잔심부름조차 누이들이 다 감당하며 다툼 없이 유년기를 지냈다. 저도 한 부모 자식이었다면 툇마루 뒹굴며 보낸 세월이 어찌 그립지 않을까. 석양이면 깃으로 날아들고, 이 가을 땅으로 돌아와 다시 흙에 묻히는 씨앗들, 그리고 가족에게로 돌아가는 사람들과 돌아갈 수 없어 그리움에 몸부림치는 이들의 아픔을 헤아릴 수만 있어도 되는 것을… 저도 의기양양했던 시절을 지나 깐깐한(?) 누이에게 호된 질타를 받는 걸 뉘우치고 있을 터이다.

친가 선영에 오르면 예의 모습에서 조금씩 멀어져가는 본가엔 차마 눈길을 줄 수 없을지도 모른다. 오래전 선영을 다녀가던 날, 문턱이 닳도록 드나들던 내 집을 들어설 수 없어 대문 밖에서 오열했던 심경을 누가 알리. 홀로 되시고 나서 뜰 안에 심겨진 엄마의 단감나무, 버찌나무가 어느

새 담 밖을 훌쩍 넘어선 그리운 본가. 여름날 텃밭 오이 하나를 따들고 멱 감으러 줄달음치던 시내를 내다보노라면, 물 건너 새 쫓으러 다니던 여아로 돌아가 한동안 또 얼마나 먹먹해 질까. 뼛속까지 시리다.

이번 참배 길엔 장쾌했던 당신의 세월보다 이태를 더 넘기며 잘 살고 있다고 아버지께 아뢸 거다. 장수하신 할머니껜 꼭 그 연세만큼만 살아 늘그막에 시작한 글이나 실컷 쓰게 해달라고 청하면 과욕이라 하실지…

용납 못할 소행을 저지른 놈 마땅히 물고를 낼 일이다가도 그 미움도 피붙이란 연민에 휘둘려 언젠가는 나도 제풀에 누그러질지 모른다. 이젠 모진 맘 거둬들이라고 생전의 음성으로 내 어머니 이르시면, 본가 주인이 된 이들도 복 받으며 잘 살기를 빌어야 하겠지.

내 푸르던 목숨 4반 세기를 품어 키워준 집. 생시처럼 꿈으로 오는 것도 감사히 여겨야 할 것 같다. 묘소에 놓을 국화 다발 세 묶음을 주문해 둔다. 해거름에 다녀오려면 서둘러야지 싶다.

『한국수필』 2013. 12.

느낌표 시나미 길

골목길로 접어든다. 이름 하여 '명주동 시나미.' 전부터 별러온 터라 그야말로 시나미(천천히) 걷기엔 안성맞춤인 날 만사를 제쳐두고 나섰다. 하릴없는 사람이 되어 한가로이 걸어야 이 골목의 진수를 알 듯싶어 정을 쏟아볼 참이다. 경황없이 살아온 날들이라 내게 이런 날도 있나싶어 빙긋 웃음이 나온다. 자못 설렘인 거다.

고층 건물이 없는 서민들의 주택가. 일찍이 터를 잡고 정붙이며 살아온 이들의 아날로그 삶터다. 살림집 모두 하나같이 담을 낮추거나 경계를 짓지 않았다. 울타리를 헐어낸 자리에 아기자기 솜씨를 부린 조경이 정갈스럽고 예쁘장하다. 여길 지나는 사람들에게 '나 좀 봐 주세요!'라고 말을 거는 듯. 까치발을 하지 않아도 훤히 들여다보이는 안뜰이다. 그 내밀한 품을 드러내 보이는 주인장들의 품성이 짐작이 가고도 남는 곳. 이래서 걷는 재미가 쏠쏠하다.

나지막한 담장 너머로 수령이 백년은 더 넘어 보이는 노송 앞에서 걸음을 멈춘다. 봄기운에 연록을 닮아가는 송엽이며 그 기품이 명품 소나무답다. 새순을 내밀기 시작한 정원수가 잘 닦여진 유리창에 얼비쳐 고즈넉함을 더하고…. 저 안채엔 어느 나이 지긋한 안주인이 따뜻한 아랫목에 발을 묻고 시청률 높은 재방영 프로에 빠져있을 듯하다. 내가 시청을 포기하고 나온 그 프로그램 때문인지도 모를 일.

혼자 걷고 있으려니 아기자기한 카페의 유혹을 떨칠 수가 없다. 떡쌀 빻아 나르고 가래떡 빼던 예의 그 방앗간이 커피숍으로 변신해 있다. 방앗간 이름을 그대로 달고 한창 성업 중이다. 손때 묻은 문설주며 출입문을 그대로 둔 채 문간에 자전거 한 대를 동그마니 세운 설정이 이 골목의 감성답다. 이층 조그만 창밑 1인용 탁자에 자릴 잡고 나니 갑자기 행복해진다. 벽면을 빙 둘러 개성 짙은 아마추어 화가의 그림들이 이채로운데 책을 펴 들거나 정담을 나누는 젊은이들이 주류를 이루었다. 그 속에 비딱한 구도처럼 끼여 있는 나. 아무려면 어떤가. 정말 잘한 결정인 걸….

창밖에 눈길을 준다. 이런 횡재가 있을까. 조금 전에 들여다봤던 뜰안이 고스란히 눈에 들어온다. 이곳에 올망졸망 봄 식구들의 실랑이가 벌어지느라 한창인 걸 보니 늘그막 여인에게도 봄기운이 스민다. 눈앞의 파릇한 가지에 날아드는 새들까지 꽁지깃과 부리에 한껏 멋을 부려 필시 이 녀석들에게도 봄바람이 불었나보다. 가지를 옮겨 앉으며 저희끼리 희희낙락이다. 뜨거운 커피를 넘긴다. 사유의 자유라서 더없이 좋다. 그래, 바로 이거야. 여럿의 동행이었다면, '벌써 봄이네요.' '세월 참 빨라요.' 뭐 이런 대화였을 터. 아님 손주들 자랑이거나…. 폰을 꺼내 담쟁이가 카페를 덮을 무렵을 대중해 일정을 잡아둔다. 그땐 지인들과 함께일 터이다.

커피 방앗간을 나와 시인 선배에게 들었던 찻집으로 '시나미' 걸음을 옮긴다. 산책 나온 길에서 우연히도 동인지 제호와 똑같은 카페를 만났다는 얘기였지. 그분 성정으로 봐서 분명 '강릉가는 길'의 연유를 따져보았을 게다. 노랑민들레가 반기는 후문을 들어서니 무쇠난로 위에 물이 끓고 있다. 아하! 이 봄날에 장작 난로라. 반기는 카페주인의 웃음이 복스럽다. 건네는 눈빛까지 그윽해서 순간 후한 점수를 매긴다. 손수 만든다는 수제 요거트를 앞에 놓고 이곳 출생이 아닌 여인의 자초지종을 듣는다. 서로 눈길을 맞춰가는 사이 이심전심이랄까 딸 부잣집 맨 끝둥이 아우 같기도, 나이 지긋해진 친정 조카뻘쯤으로 여겨진다. 기막힌 선택이라고 부추기며 돌아서는데 자주 들러달라는 부탁에 마주보고 웃는다. 이 골목을 다녀가는 이들의 발길이 자주 이어지기를 바랄 뿐. 출입문을 나서며 폰에 상호를 담는데 어쩜 새초롬한 새 각시 자태다. 다음 걸음엔 작은 서가에 '강릉가는 길' 몇 권을 꽂아 주리라.

그 옛날 교회당으로 북적이던 '작은 공연장' 앞에 골목투어 중인 외지인들이 짝을 짓고 있다. 공연 일정을 열람해보니 4월부터 각종 공연이 촘촘하다. 음악, 연극, 콘서트로 비중 있는 무대를 접할 수가 있어 '소확행'을 위한 복합문화공간으로 안성맞춤인 명소다. 여기서도 공연장 외벽을 덮은 담쟁이가 봄을 연출하느라 부산하다. 머잖아 젊은 예술인들의 열정이 피어올라 이 골목을 흥건한 감동으로 출렁거릴 거란 확신이 앞선다. 공연 하나를 의중에 찍어놓고 몇 발짝을 떼니, 오메! 길게 담벼락을 따라 우리네 풍속화가 장관을 이루고 있는 게 아닌가. 여기 엿판을 놓고 앉아 구경꾼들에게 엿가락 하나씩 물려주면 딱 좋을 듯. 이 자리도 점찍어 놓고….

근방에 새로 단장한 찻집이 한둘이 아닌데 내건 이름이 모두 어여쁘다. 목이 아프도록 올려다 봐야하는 고층건물이 아닌, 금방이라도 누군가 뛰쳐나와 덥석 반길 것 같은 이모, 고모 네가 살 것 같은 정감어린 곳. 내 눈 높이만큼, 심중의 깊이만큼에 살아있어 더 살갑게 다가오니 내 집 내 이웃이 따로 없지 않은가. 커피체험에 북 카페까지 갖춘 사랑채 커피숍, 엄마 손잡고 들어서면 맘껏 그림책을 볼 수 있는 예쁜 책방을 지나 문득 걸음을 멈춘다. 그 옛날 정관계 언론계 인사며 문학도들의 아지트로 성업이었던 '청탑 다방' 앞이다. 얄팍한 주머니를 털어 시화전을 열었다고 회고하던 초당 신봉승 선생의 후일담이 떠올라 만감이 교차한다. 단층 슬라브에 걸린 문패가 오랜 세월에 추연하다. 좁은 터 하나라도 리모델링으로 살려내느라 바쁜 시기에 아직은 그때의 영화를 간직하고픈 옛 주인의 배려인 것 같아 뭉클한 가슴을 다독인다.

시나미 골목을 나선다. 봄이 무르익을 무렵 한 번 더 찾으리라. 그땐 둘이어도, 떼를 지어 헤픈 웃음 날리며 걸어도 탓할 사람 아무도 없을 게다. 담 너머로 들리던 오빠뻘 청년들의 휘파람이 아직도 들릴 것 같은 여기. 봄꽃 지고나면 새알심만한 풋살구에 파란 매실 지천으로 달고 눈요기 듬뿍 선사할 정겨운 여기. 가을날 붉디붉은 왕 대추, 대봉 감을 넋 놓고 바라보는 재미에 한 아름 감동을 안고 돌아갈 이 골목길이 느낌표 아니고 무엇이겠는가. 시나미 나이 먹으려면 아날로그로 통하는 이 명품 골목을 풀 방구리에 쥐 드나들 듯 할까보다. 더 늦기 전에….

제19회 강릉문학작가상

백송이 꽃보다 시 한 송이를 얻으려는 삶

– 이문자 작가의 『노을에 출렁이다』 출간을 축하하며 –

임 헌 영(문학평론가)

1. 강릉문화권의 매력

강릉 문화권 하면 떠오르는 인물로야 단연 신사임당이 먼저겠지만 현대문단에서 내가 좋아했던 여류들 중 유독 강릉사범학교 출신의 시인 함혜련과 작가 서영은에 필이 꽂히곤 한다. 왜 수필가는 없을까 아쉬워할 때 이문자 작가와 인연이 맺어졌다. 작품을 먼저 읽은 뒤의 첫 대면에서 바로 이 분도 혹시 강릉사범 출신이 아닐까 하는 강한 인상을 받았다. 뭔가 꼬집어 표현하긴 어렵지만 함혜련–서영은이 풍기는 대관령을 넘어선 온화하고 단아한 강릉문화권 여인상의 이미지가 겹쳐졌기 때문이었다. 신사임당 정신이란 한마디로 뭐랄 수는 없지만 굳이 꿰어 맞춘다면 사도師道정신과도 통하기에 구제舊制 사범師範학교가 그 이미지상 오죽헌과 닿아있지 않을까 싶다.

물론 셋은 인생관이나 가치관과 생활방식에다 경력도 너무나 다르다.

함혜련 시인은 1931년생으로 1950년에 강릉사범을 졸업한 이듬해부터 시 동인지 『청포도』(1951~1952, 황금찬, 최인희, 이인수, 김유진, 함혜련)에 참여하여 시작활동을 하다가 이내 강릉을 떠났다. 함 시인보다 한 세대

늦은 서영은은 1943년생으로 1961년에 강릉사범을 졸업했으나 전혀 교단에 서지도 않은 채 서울살이로 소설 창작에 전념했다.

함 시인은 "나는 서정시, 산문시, 연작시, 또는 대화시의 형태로 자연과 인간이 빚어내는 즐거움과 괴로움과 미움과 원망과 희망에 참여하듯 실수에도 참여한다. 그리고 내가 참여한 모든 것을 숨기지 않고 폭로한다. 그것은 아마도 내가 나의 실수까지도 감히 자랑할 수 있을 만큼 내 생활의 모든 것을 사랑하기 때문이리라"(『함혜련 시전집』, 서문당, 1992, 650~651쪽)고 하며 넉넉하게 자신의 인생을 만끽했다.

이와는 달리 서영은 작가는 생활 그 자체조차도 자신의 소설 미학적 탐구에 바쳐 전력투구해 오며 문학을 이렇게 정리했다.

문학 그리고 삶은 나에게 뭔가를 찾는 방법이다. 문학을 언어로, 삶은 행동으로, 이 둘은 별개가 아니라 하나이다. 누군가 나에게 관념을 실천한다고 했듯이, 나는 꿈, 사랑, 모험, 성, 탐닉, 퇴폐, 악, 덕, 고통, 시련, 탕진, 파멸, 고독, 수치, 모멸 등을 몸으로, 삶으로 살고 있다. 하나의 커다란 가변성의 에너지, 통찰 그 자체, 그것이 내가 찾고 있는 그 무엇이며, 그 무엇이란 바위를 두부처럼 자를 수 있는 명징한 차원을 말한다.(『사막을 건너는 법』, 둥지, 1997, 「책머리에」).

이 두 여류와는 달리 이문자 작가는 가장 사범학교 출신자다운 교육자로서의 삶을 모범적으로 살아왔으며 그 무대도 강릉문화권을 벗어나지 않았을 뿐만 아니라 가정적으로도 다복한 축복받은 성공적인 삶을 향유했다. 이 작가는 교직과 창작을 겸하여 아동문학부터 시조, 시, 수필 등 다양한 장르에 걸쳐 많은 성과를 내어 그 분야마다에서 업적을 남긴 데다 초등교장, 해밀합창단 단장과 강릉사랑문인회와 후조문학회 부회장을 지냈으며 지금도 강릉직하재江陵稷下齋 철학회장을 맡고 있을 정도로 강릉 문화권에서 탄탄하게 그 기반을 쌓아왔다. 교장직을 마지막으로 교직을 떠나며 퇴임문집 『마흔넉 줄 반의 마침표』를 낸 이문자 작가는 산문장르에 전념하게 되면서 이제는 그 행동반경이 대관령을 훌쩍 넘어 한국의 전 수필계에 걸쳐 그 위치를 확대해 나가고 있다.

가까이서 지켜보노라면 모든 걸 다 이룬 충만한 삶인지라 창작혼이 소극적이거나 시들기 쉽겠구나 하는 통념을 깨고 이문자 작가는 연륜을 초월한 채 수필창작의 심원한 비의를 맹렬히 탐구하다가 만난 게 『한국산문』이었다. 인연이 맺어지자마자 금방 편입생으로서의 거리감을 깡그리 씻어내고는 토박이 주체세력으로 신분을 갱신하면서 『한국산문』과의 관계도 그 친밀도가 고단계로 접어들었다. 어쩌면 강릉권의 전통적인 문화의식과 사범교육으로 숙성된 삶의 축적들이 지닌 사범으로서의 성실성과 인간미와 진솔성이 누구에게나 다가설 수 있는 품격의 비의를 체득한 데서 나온 매력의 결과일 것이다.

2. 행복을 누릴 줄 아는 지혜 혹은 만물조응의 작가정신

어떻게 살아왔느냐에 따라 퇴임 후의 인생 버킷리스트는 달라질 테지만 그게 뭐든 각자 자신의 행복 찾기임은 부인할 수 없다. 그러고 보니 인생살이에서 행복 찾기보다 더 소중한 게 있을까. 세계 수필문학사에서 가장 많이 등장하는 게 행복론이고, 그 뒤를 이어 인생론, 여성론, 신앙론, 우정론, 처세론, 자연론에다 역사론, 정치사회론, 평화론 등등으로 온통 현란한 요지경들이 펼쳐진다. 그런데 정작 따지고 보면 행복론 이외의 모든 것은 다 그 궁극은 행복을 이룩하기 위한 방법론에 지나지 않음을 깨닫는 데는 한참 걸린다. 아니, 어떤 사람은 그걸 아예 모른 채 인생을 마치기도 한다. 성공한 삶이란 결국 행복론이 제일 소중한 가치임을 일찍 깨닫고 즐기는 것이고 반대로 실패한 인생이란 그 목적지가 행복론임을 깨닫지 못한 채 방황하느라 인생을 허비하는 경우라 하겠다.

이문자 작가는 이번 수필집 『노을에 출렁이다』를 펴내면서 "무얼 꿈꾸고 놓아버려야 할지를 아는 나이. 비우고 내려놓는 일이 이리도 큰 기쁨인 줄을 몰랐다. 그러기에 앞만 보고 달리지 않았다. 함께 손잡고 가는 길이 느리기는 해도 더 많은 것을 품을 수 있었다."고 한다. 앞만 보고 달려온 인생살이가 아닌 성찰과 행복을 적당히 누리면서 살아가는 오묘한 인생론을 터득했음을 시사하는 대목이다. 그것도 이기주의자로 혼자만 즐긴 게 아니라 이웃과 함께 행복할 줄 아는 경지에 이르렀음을 이 작가는 이렇게 실토해준다.

무정물無情物에 지나지 않는 대상에 시선이 꽂히는가 하면 아귀다툼 세상사에서, 현자의 사유에서 끊임없이 모스부호가 내게로 온다. 각양각색의 메시지를 짚어 내고 나를 다스려 쓰디쓴 고뇌도 달게 버무릴 수 있는 건 글쓰기만의 신통력이 아닐까 싶다.(중략) 허접하기만 했던 내 영혼이 조금은 더 여물었다고 말할 수 있어서다.(「여는 글」).

"무정물에 지나지 않는 대상"이란 지상의 삼라만상森羅萬象과 하늘의 기후가 변모하는 자연의 조화를 총칭한다. 시선이 꽂힌다는 건 자연에 몰입하면서 황홀경에 들 수 있는 상태 즉 행복을 느낄 수 있는 작가의 삶의 자세에 다름 아니다. 봄이면 진달래에 감동하여 화전 부치기에 취하며, 여름엔 애호박 따기 심부름을 하면서도 즐거웠고, 가을엔 노을을 바라보는 것만으로도 도취할 수 있었다고 작가는 고백하는데, 이 수필집에 실린 글의 상당수가 이와 같은 자연(무정물)을 통한 행복 찾기에 속한다. 뿐만 아니라 작가와 인연을 맺었던 사소한 하찮은 무정물들, 예컨대 깜장 고무신이나 꽃신 한 컬레(「인연으로 온 고무신」), 차이코프스키의 악절(「시인의 하늘 길」) 혹은 연밥(「까치발 하늘」) 등등에서도 이 작가는 비의에 가까운 즐거움을 동반했다고 털어놓는다.

여기서 멈추지 않는다. 작가는 "무릇 백송이 꽃보다 시 한 송이 얻는 게 더 간절하다는 시인"을 만나면서 가히 정신적인 열반의 경지에 드는가 하면(「이녁의 봄」과 「봄날이 간다」), 「피카소가 그린 현상학」에서는 후설의 난삽한 이론이 동원되며, 「운명애라는 묘약」에서는 트로트에서도 니체의 운명애를 상기하며 행복에 도취할 수 있는 능숙한 삶의 경지를 설파해준다.

그러니 이 작가는 사단칠정四端七情을 불러오는 세상의 온갖 잡사들까지가 인간이 주체적으로 어떻게 인식하느냐에 따라 행복과 불행으로 갈라서게 되는 이치를 터득한 것이다. 자신이 이런 경지에 이르게 된 비결은 "글쓰기만의 신통력"으로 돌리는 데서 수필창작의 중요성을 강조한다. 그런 깨달음을 작가는 "현자의 사유에서 끊임없이 모스부호가 내게로 온다"라고 표현하는데, 이건 마치 보들레르가 소네트 「만물조응(Correspondances)」에서 "자연은 하나의 신전, 거기에 살아있는 기둥들은/ 이따금 혼돈한 말을 흘려보내고/ 사람은 친근한 시선으로 자기를 지켜보는/ 상징의 숲을 가로질러 그리로 돌아간다"(김재홍 역, 박철희 편 『문예사조사』, 이우출판, 1985, 126쪽)라는 구절에서 자연과 인간이 교감하는 비의를 느끼는 것과 상통한다고도 할 수 있겠다. 이런 상통과 교감의 미학을 보들레르는 '만물조응'이란 술어 말고도 "예술이란 무엇인가—매음이다

(Qu' est ce que l' art? Prostitutio)"란 자극적인 말로도 표현했는데, 여기서의 '매음'이란 '대상에 구애됨이 없이 황홀감을 교감(공감)한다'는 뜻으로 풀이할 수 있겠다. 동양식으로는 '무아지경無我之境'(청대의 王國維가 『人間詞話』에서 한 표현) 쯤 되겠는데 이를 작가는 「곰솔 밭에서 듣다」, 「강릉 아낙의 덤」, 「솔향 푸른 이야기」, 「느낌표 시나미 길」 등 강릉의 자연경관이나, 걸작 「나, 물이라네」 등을 통해 맛깔나게 형상화 해준다.

세상에는 행복론이 넘쳐나지만 너무나 추상적이다. 이걸 실현할 줄 아는 데는 전 인생역정이 다 중요하다. 이문자 작가에게 이런 행복 공감의 정서를 다져준 사부로는 할아버지가 있다. 조부는 중농으로도 부잣집 선비처럼 넉넉한 마음씀씀이로 일가친척과 동네는 물론이고 길 가는 나그네까지 챙겨서 "엄동에도 훈훈했던 우리 집 사랑방은 할아버지의 넉넉한 품이었고 어진 농심의 둥지 같은 곳이었다."(「할아버지의 방」)라고 요약한다.

"인간은 살아있는 한 그 누구도 행복하다고 말할 수 없다"고 그리스의 현자 솔론이 경고한 속뜻은 인생이란 만년을 얼마나 행복하게 맞는가를 준비하는 과정에 불과하다는 교훈에 다름 아니리라. 항상 봄을 몰고 다니는 사람이 있는가 하면 언제나 써늘한 가을이나 매서운 겨울을 동행하는 인물도 적지 않다. 봄 지향성 인간은 항상 엷은 미소와 따뜻한 감성으로 그 분위기를 감싼다. 엔돌핀이 생길 일을 많이 하는 삶, 남에게 앤돌핀이 생기게 해주는 삶이야말로 현명한 수필이다.

이 우아하고 아담한 수필집의 작품 해설은 강릉 동향 출신의 홍성암 작가가 멋지게 해주셨기에 나로서는 이 작품집 출간을 계기로 이문자 작가의 문운과 행운이 더 왕성해지기를 빌어마지 않는다.

노을에 출렁이다

2021년 12월 23일 2쇄
2021년 12월 30일 발행

지은이 이 문 자
펴낸이 백 성 대
펴낸곳 도서출판 노 문 사

주 소 서울 중구 마른내로 72(인현동)
등 록 2001년 3월 19일 제2-3286호
이메일 nomunsa@hanmail.net

전 화 (02) 2264-3311, 3312
팩 스 (02) 2264-3313

ISBN 979-11-86648-39-1

정가 / 15,000원

* 이 책은 강릉문화재단 후원으로 발간되었습니다.

이 도서의 국립중앙도서관 출판예정도서목록(CIP)은 서지정보유통지원시스템 홈페이지(http://seoji.nl.go.kr)와 국가자료공동목록시스템(http://www.nl.go.kr/kolisnet)에서 이용하실 수 있습니다.
(CIP제어번호 : CIP2019044927)